HYGGE

HYGGE

O SEGREDO DINAMARQUÊS PARA VIVER BEM

MEIK WIKING

Título original: *The Little Book of Hygge*

Copyright © 2016 por Meik Wiking
Copyright da tradução © 2023 por GMT Editores Ltda.

Publicado originalmente em 2016 pela Penguin Life, um selo da Penguin General. A Penguin General faz parte do grupo Penguin Random House.

Os direitos morais do autor estão assegurados.
Poema da página 178, "O dia feliz de Svante", de Benny Andersen, retirado de *Højskolesangbogen* (tradução de Carolina Simmer).

Todos os direitos reservados. Nenhuma parte deste livro pode ser utilizada ou reproduzida sob quaisquer meios existentes sem autorização por escrito dos editores.

tradução: Carolina Simmer
preparo de originais: Priscila Cerqueira
revisão: Hermínia Totti e Sheila Louzada
projeto gráfico: Hampton Associates
adaptação de capa e diagramação: Natali Nabekura
impressão e acabamento: Pancrom Indústria Gráfica Ltda.

CIP-BRASIL. CATALOGAÇÃO NA PUBLICAÇÃO
SINDICATO NACIONAL DOS EDITORES DE LIVROS, RJ

W657h
    Wiking, Meik
        Hygge : o segredo dinamarquês para viver bem / Meik Wiking ; tradução Carolina Simmer. - 1. ed. - Rio de Janeiro : Sextante, 2023.
        288 p. : il. ; 18 cm.

        Tradução de: The little book of hygge : The danish way to live well
        ISBN 978-65-5564-757-0

        1. Autorrealização (Psicologia). 2. Conduta. 3. Felicidade - Dinamarca. 4. Estilo de vida. I. Simmer, Carolina. II. Título.

23-86439   CDD: 646.7009489
                CDU: 316.728:392.3(489)

Meri Gleice Rodrigues de Souza - Bibliotecária - CRB-7/6439

Todos os direitos reservados, no Brasil, por
GMT Editores Ltda.
Rua Voluntários da Pátria, 45 – 14.º andar – Botafogo
22270-000 – Rio de Janeiro – RJ
Tel.: (21) 2538-4100
E-mail: atendimento@sextante.com.br
www.sextante.com.br

SUMÁRIO

INTRODUÇÃO 6
O SEGREDO DA FELICIDADE? 8
1. ILUMINAÇÃO 11
2. PRECISAMOS FALAR SOBRE O HYGGE . . . 25
3. UNIÃO 49
4. COMES E BEBES 69
5. ROUPAS 101
6. LAR 111
7. O HYGGE FORA DE CASA 141
8. HYGGE O ANO INTEIRO 153
9. HYGGE PARA TODOS OS BOLSOS 175
10. O TOUR DO HYGGE EM COPENHAGUE . 199
11. NATAL 215
12. HYGGE DE VERÃO 241
13. AS CINCO DIMENSÕES DO HYGGE 257
14. HYGGE E FELICIDADE 267

INTRODUÇÃO

Ruga? Raigue? Rigue? Não importa como você prefere pronunciar ou até escrever "hygge". Parafraseando um dos maiores filósofos da nossa era (o Ursinho Pooh), "emoção não se soletra; se sente".

Escrever e pronunciar "hygge" é a parte fácil. A parte mais complicada é explicar o que exatamente ele significa. O hygge já foi descrito como "a arte de criar intimidade", "o aconchego da alma", "ausência de irritação", "o prazer de estar cercado por coisas relaxantes", "intimidade aconchegante" e, o meu favorito, "chocolate quente à luz de velas".

O hygge tem mais a ver com criar um climinha... e não com coisas. É estar com quem se ama. É uma sensação de lar. Uma sensação de estar seguro, protegido do mundo, à vontade. Pode ser uma conversa jogada fora ou um papo sério sobre a vida. Pode ser o conforto do silêncio na companhia de alguém – ou simplesmente estar sozinho, apreciando uma xícara de chá.

Certa vez, pouco antes do Natal, passei um fim de semana com amigos num chalé antigo. O dia mais curto do ano estava iluminado pelo manto de neve que cobria a paisagem ao redor. No crepúsculo, por volta das quatro

da tarde, entramos para acender a lareira sabendo que só voltaríamos a ver o sol dezessete horas depois.

Tínhamos feito uma trilha e estávamos cansados, mortos de sono, sentados num semicírculo ao redor da lareira, usando suéteres folgados e meias de lã. Os únicos sons que ouvíamos eram o ensopado borbulhando no fogo, os estalos da lenha e os goles ocasionais que dávamos em nosso vinho quente. Então um dos meus amigos interrompeu o silêncio com uma pergunta retórica:

– Isso que é hygge, não é?

– Pois é – respondeu minha amiga após alguns segundos. – Melhor que isso, só se caísse uma tempestade lá fora.

Todos assentimos.

O SEGREDO DA FELICIDADE?

Tenho o melhor emprego do mundo. Estudo o que traz felicidade às pessoas. No Instituto de Pesquisa da Felicidade, um laboratório de ideias focado em bem-estar, felicidade e qualidade de vida, exploramos as causas e os efeitos da felicidade humana com o objetivo de melhorar a qualidade de vida das pessoas no mundo todo.

A sede fica na Dinamarca, e, sim, acendemos velas no escritório de segunda a sexta – e, sim, nosso escritório meio que foi escolhido com base no hygge. Mas não temos uma lareira. Ainda. O instituto foi fundado na Dinamarca porque o país é presença constante na lista dos mais felizes do mundo. A Dinamarca não é nem de longe uma utopia perfeita e tem desafios e problemas como qualquer outra nação, mas acredito que possa servir de inspiração para que outros países melhorem a qualidade de vida dos seus habitantes.

A posição da Dinamarca como uma das nações mais felizes do mundo vem despertando muito interesse da mídia. Toda semana recebo perguntas como "Por que os dinamarqueses são tão felizes?" e "O que podemos aprender sobre felicidade com os dinamarqueses?", perguntas que vêm de jornalistas do *The New York Times*, da

BBC, do *The Guardian*, do *China Daily*, do *The Washington Post*... Além disso, políticos e pesquisadores de todos os cantos do planeta estão sempre visitando o Instituto de Pesquisa da Felicidade em busca de... bem, de felicidade – ou pelo menos em busca de uma explicação para os altos índices de felicidade, bem-estar e qualidade de vida na Dinamarca. Muitos consideram isso um mistério, já que, além dos rigores do clima, os dinamarqueses também precisam conviver com os impostos mais altos do mundo.

O interessante é que o governo oferece muitos programas de assistência social, o que transforma a riqueza coletiva em bem-estar. Nós pagamos pela qualidade de vida. O segredo do bem-estar altíssimo na Dinamarca é a capacidade da assistência social de reduzir riscos, incertezas e ansiedade entre os cidadãos e prevenir a infelicidade extrema.

Recentemente, no entanto, também cheguei à conclusão de que pode haver um ingrediente ignorado na receita dinamarquesa para a felicidade: o hygge. O termo "hygge" se origina de uma palavra norueguesa que significa "bem-estar". Por quase quinhentos anos, até a Dinamarca perder a Noruega, em 1814, ambos os países faziam parte do mesmo reino. O primeiro registro escrito do termo "hygge" em dinamarquês data do começo do século XIX, portanto talvez a conexão entre o hygge e o bem-estar, ou a felicidade, não seja coincidência.

De acordo com o European Social Survey (Pesquisa

Social Europeia), o povo dinamarquês não é apenas o mais feliz da Europa; é também o que se reúne com mais frequência com amigos e parentes e o que relata mais calma e tranquilidade. É por isso que tem havido tanto interesse pelo hygge. Jornalistas vêm à Dinamarca pesquisar o assunto; no Reino Unido, uma faculdade agora oferece um curso de hygge dinamarquês; e padarias, lojas e cafeterias com "conceito hygge" estão surgindo pelo mundo todo. Mas como se cria essa sensação? Como o hygge e a felicidade estão conectados? E o que exatamente é o hygge? Essas são algumas perguntas que este livro pretende responder.

CAPÍTULO 1

ILUMINAÇÃO

HYGGE INSTANTÂNEO: VELAS

Toda receita para o hygge precisa conter velas. Ao serem questionados sobre qual elemento mais associam ao hygge, impressionantes 85% dos dinamarqueses mencionaram velas.

Em dinamarquês, o equivalente ao termo "estraga-prazeres" é *lyseslukker*, que literalmente significa "aquele que apaga velas", e isso não é uma coincidência. A maneira mais rápida de alcançar o hygge é acendendo velas, ou, como se diz em dinamarquês, *levende lys*, "luzes vivas". Quando era embaixador na Dinamarca, o americano Rufus Gifford fez o seguinte comentário sobre o apreço que nós, dinamarqueses, temos por velas: "Estão por todo canto. Nas salas de aula, nas salas de reunião. Fico pensando: 'Que risco de incêndio! Como alguém tem coragem de deixar uma chama acesa numa sala de aula?' É meio que uma felicidade emocional, um aconchego emocional."

E é por aí mesmo. De acordo com a Associação Europeia de Velas, a Dinamarca queima mais velas *per capita* do que qualquer outro país da Europa. Cada dinamarquês queima cerca de seis quilos de parafina por ano. Só para você ter uma ideia do que isso significa, cada dinamarquês consome cerca de três quilos de bacon por ano (sim, o consumo de bacon *per capita* é um parâmetro por aqui).

Nosso consumo de velas é um recorde europeu. Na verdade, a Dinamarca queima quase duas vezes mais parafina do que o segundo colocado, a Áustria, com 3,16 quilos por ano. No entanto, velas aromáticas não são populares. A Asp-Holmblad, a fábrica de velas mais antiga da Dinamarca, nem tem velas desse tipo em seu catálogo. Elas são consideradas artificiais, e os dinamarqueses preferem produtos naturais. De fato, somos um dos povos europeus que mais consomem produtos orgânicos.

Segundo pesquisas, mais da metade dos dinamarqueses acende velas quase todos os dias entre o outono e o inverno, e apenas 4% afirmam nunca usá-las. Em dezembro, início do inverno, o consumo triplica, e é nessa época que se encontra a vela especial que se acende apenas nos dias que antecedem o Natal: a *kalenderlys*, ou vela do Advento. Ela é marcada com 24 linhas, cada uma para um dia em dezembro antes do Natal. É o relógio de contagem regressiva mais lento do mundo.

Outra ocasião especial para velas é o Quatro de Maio, também conhecido como *lysfest*, ou festa da luz. Nessa noite, em 1945, a BBC anunciou que as forças alemãs que ocupavam a Dinamarca desde 1940 haviam se rendido. Assim como muitos países durante a Segunda Guerra Mundial, a Dinamarca passou por apagões para impedir que as aeronaves inimigas se guiassem pelas luzes. Hoje os dinamarqueses ainda comemoram a volta da luz naquela noite, e fazem isso acendendo velas nas janelas.

As velas são mesmo hyggelige (este é o adjetivo plural

e se pronuncia "rúgali"), mas tal obsessão é acompanhada por um grande problema: a fuligem. Estudos mostram que apenas uma vela acesa enche o ar com mais micropartículas do que o trânsito de uma rua movimentada. As velas geram mais partículas no interior dos lares do que cigarros ou o preparo de alimentos no fogão. Apesar de a Dinamarca ser um país cheio de regulamentações, ainda não encontramos alertas nos rótulos de velas. Ninguém se mete com os fanáticos pelo hygge. É verdade que estamos cada vez mais conscientes da necessidade de arejar o cômodo após a queima de velas, mas, apesar das consequências para a saúde, o consumo segue a toda.

Com que frequência os dinamarqueses acendem velas?

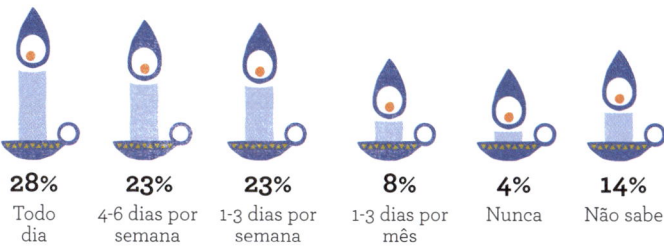

Quantas velas são acesas por vez?

LUMINÁRIAS

A iluminação não se resume a velas, e os dinamarqueses são obcecados por iluminação. Certa vez passei duas horas andando por Roma até encontrar um restaurante com iluminação hyggelig.

Os dinamarqueses escolhem luminárias com cuidado e as posicionam estrategicamente para criar focos relaxantes de luz. É uma arte, uma ciência e uma indústria. Algumas das luminárias mais lindas do mundo foram projetadas na era de ouro do design dinamarquês, como, por exemplo, as de Poul Henningsen, Arne Jacobsen e Verner Panton. Se você for visitar um universitário que vive apertado de grana, é bem capaz de encontrar uma luminária Verner Panton de 1.000 euros no canto da sua quitinete de 32 metros quadrados.

A regra básica é: quanto menor a temperatura da luz, mais hygge. Um flash de câmera fotográfica tem cerca de 5.500 kelvin; lâmpadas tubulares fluorescentes, 5.000 K; lâmpadas incandescentes, 3.000 K; um pôr do sol e chamas de fogueira e velas, 1.800 K. Este é o ponto ideal.

Essa obsessão vem da falta de contato com a luz natural entre outubro e março. Nessa época, o único recurso que os dinamarqueses têm é a escuridão. Os verões na Dinamarca são lindos. Quando os primeiros raios de luz che-

gam ao país, as pessoas despertam da sua hibernação e saem correndo em busca de lugares ao sol. E, como se não bastasse o fato de os invernos serem escuros e frios e os verões serem curtos, a Dinamarca também tem 179 dias de chuva por ano. Fãs de *Game of Thrones*, pensem na cidade de Winterfell.

É por isso que o hygge foi tão refinado, sendo encarado como parte da identidade nacional e da cultura dinamarquesa. É o antídoto para o inverno frio, os dias chuvosos e a escuridão dominadora. Então, apesar de ser possível ter hygge durante o ano todo, é no inverno que ele se torna não apenas uma necessidade, mas também uma estratégia de sobrevivência. Por isso os dinamarqueses falam sobre o assunto... o tempo todo.

Meu lugar favorito no meu apartamento em Copenhague é o peitoril da janela na área da cozinha/sala de jantar. Há espaço suficiente para se sentar ali, e acrescentei almofadas e mantas para tornar esse cantinho um *hyggekrog* (veja o Dicionário do Hygge na página 42). O aquecedor embaixo da janela faz com que ali seja o lugar perfeito para tomar uma xícara de chá numa noite fria de inverno. Mas o que adoro mesmo é o brilho quente, cor de âmbar, que vem dos apartamentos do outro lado do pátio. É um mosaico em constante movimento conforme as pessoas saem de casa e retornam. De certo modo, devo essa vista a Poul Henningsen. É inevitável que um cômodo bem iluminado na Dinamarca abrigue uma luminária do arquiteto e designer que todos os dinamarqueses chamam simplesmente de PH.

Ele foi para o lustre o que Thomas Edison foi para a lâmpada. Assim como a maioria dos dinamarqueses atuais, PH era obcecado pela luz. Há quem o chame de o primeiro arquiteto da iluminação, já que ele dedicou a carreira a projetar uma luminária capaz de espalhar luz sem ferir os olhos das pessoas.

Poul Henningsen nasceu em 1894 e não foi exposto à luz elétrica na infância, mas ao brilho suave das lamparinas a óleo. Elas foram sua fonte de inspiração. Seus designs moldam e aprimoram o poder da luz elétrica ao mesmo tempo que mantêm a suavidade da luz de uma lamparina.

> *Iluminar bem um cômodo não exige dinheiro, mas cultura. Desde os 18 anos, quando comecei a fazer experimentos com a luz, busco a harmonia na iluminação. Os seres humanos são como eternas crianças. Ao ganhar brinquedos novos, jogam fora sua cultura, e a festa começa. A luz elétrica nos deu a oportunidade de chafurdar na luz.*
>
> *À noite, ao olhar para dentro das casas, você encontra uma feiura horripilante. Os móveis, o estilo, os tapetes – tudo ali deixa de ser importante quando comparado ao posicionamento da luz.*
>
> **Poul Henningsen** *(1894-1967)*, PH om lys *[PH sobre a luz]*

TRÊS LUMINÁRIAS DINAMARQUESAS FAMOSAS

1 LUMINÁRIA PH

Após uma década de experimentos com luminárias e iluminação no sótão de casa, Henningsen apresentou a primeira luminária PH em 1925. Ela oferecia uma luz mais suave e difusa, com uma série de cúpulas em camadas para dispersar a luz e ao mesmo tempo esconder a lâmpada. Além disso, para tornar a forte luz branca mais avermelhada, PH pintou de vermelho o interior de uma das camadas. Seu maior sucesso foi a PH5, que tem cúpulas de metal e foi lançada em 1958 – as luminárias PH já receberam mais de mil designs diferentes. Muitos desses modelos não são mais produzidos, e os lustres mais raros podem receber lances de mais de 20 mil libras (cerca de 120 mil reais) em leilões.

2 LE KLINT

A família Klint começou a produzir luminárias com dobraduras em 1943, embora elas tivessem sido projetadas quatro décadas antes, por Peder Vilhelm Jensen-Klint, arquiteto dinamarquês, para uso pessoal, já que ele havia projetado uma lamparina a óleo e precisava de uma cúpula. O projeto acabou se tornando um negócio de família graças às habilidades de design, inovação e empreendedorismo dos filhos e filhas de Klint.

3 GLOBO PANTON VP

O Globo Panton VP é um lustre que irradia do seu aro central uma iluminação tranquilizante e difusa. Foi projetado em 1969 por Verner Panton, o *enfant terrible* do design dinamarquês, que adorava trabalhar com materiais modernos como plástico e aço. Panton frequentou a Academia Real de Belas-Artes da Dinamarca, uma instituição de ponta da arquitetura, que hoje inclui um "laboratório de luz" que analisa a iluminação natural e a artificial.

MELHOR QUE PHOTOSHOP

Existe um grupo de profissionais que talvez seja tão obcecado pela iluminação quanto os dinamarqueses: os fotógrafos. "Fotografia" significa pintar com a luz, e quem vive disso compreende, percebe e aprecia a luz de um jeito especial.

Talvez seja esse o motivo por trás do meu amor por fotografia e das dezenas de milhares de fotos que tirei nos últimos dez anos. E também deve ser por isso que minha luz favorita seja a hora dourada. A hora dourada é mais ou menos a primeira hora após o amanhecer e a última antes do pôr do sol. Quando o sol está baixo no céu, a luz precisa atravessar uma profundidade maior na atmosfera, o que cria uma iluminação quente, suave, difusa. Há quem chame de "hora mágica", e acho que me apaixonei por todas as mulheres que fotografei nesse momento do dia, naquele milésimo de segundo. É essa luz que você deve almejar quando estiver montando uma iluminação interior hyggelig. A qualidade lisonjeira dessa luz fará você e todos os seus amigos ganharem uma beleza etérea. Nenhum filtro do Instagram chega aos pés dela.

DICA DE HYGGE: CRIE UMA ILUMINAÇÃO HYGGELIG

Você já sabe o que vou dizer: acenda suas velas. Mas lembre-se de arejar o cômodo. E talvez também seja interessante considerar uma iluminação elétrica estratégica. Em geral, várias luminárias menores ao redor garantem uma iluminação mais hyggelig do que uma grande luminária centralizada no teto. O objetivo é criar pequenos focos de luz pelo ambiente.

CAPÍTULO 2

PRECISAMOS FALAR SOBRE O HYGGE

VÍCIO NACIONAL

O idioma dinamarquês já foi chamado de muitas coisas, mas raramente de lindo. Se você pesquisar no Google "dinamarquês parece...", as duas primeiras sugestões serão "alemão" e "batata". Para estrangeiros, o dinamarquês soa como alguém falando alemão com uma batata quente na boca.

Para ser justo, não é todo mundo que pensa assim. Há quem diga que lembra um pouco uma foca doente engasgando. De todo modo, é um idioma rico quando se trata de descrever o hygge.

Hygge funciona como verbo e substantivo, e temos ainda o adjetivo hyggelig(t): Que sala hyggelig! Ver você de novo foi tão hyggeligt! Tenha um dia hyggelig!

Usamos essas palavras com tanta frequência que, para estrangeiros, parece um vício. A gente precisa destacar a qualidade hyggelig de tudo. O tempo todo. E não apenas no momento do hygge. Falamos como será hyggelig nos reunirmos na sexta-feira, e, na segunda, recordaremos uns aos outros como a sexta foi hyggelig.

O hygge é o principal indicador de sucesso para a maioria dos encontros sociais na Dinamarca. "Querida, você acha que nossos convidados se hyggede ontem?" (É o verbo no passado. Nem tente pronunciar.)

De vez em quando me encontro com um pessoal para jogar pôquer. É um grupo bem internacional, com gente do México, dos Estados Unidos, da Turquia, da França, da Inglaterra, da Índia e da Dinamarca. Ao longo dos anos já conversamos sobre a maioria dos assuntos, desde paqueras até canhões que atiram laranjas, e, devido à diversidade do grupo, sempre falamos em inglês. Mesmo assim, há uma palavra em dinamarquês que vive sendo usada. Você já imagina qual. Geralmente quem a usa é Danny, do México, após perder uma grande aposta: "Não tem problema. Só venho aqui por causa do hygge mesmo."

O fator hygge não é essencial apenas em eventos sociais, mas também em cafeterias e restaurantes. Se você buscar por "restaurante bonito" em dinamarquês,

É possível traduzir "hygge"?

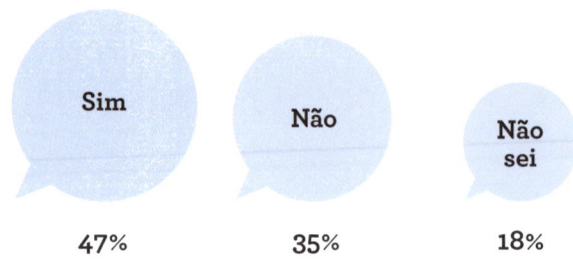

o Google oferecerá 7 mil resultados. "Restaurante bom" garante 9.600, e "restaurante barato", 30.600. "Restaurante hyggelig" nos brinda com 88.900 resultados. Como diz o guia de viagens da Lonely Planet, "os dinamarqueses são obcecados por aconchego. Todos eles. Até o motoqueiro mais durão que só veste roupas de couro vai recomendar um bar com base no fator hygge".

Isso significa que tudo que você aprendeu na aula de marketing estava errado. Preço, produto, localização e promoção não significam porcaria nenhuma. Só o hygge importa. Eu moro em Copenhague. Aqui não faltam cafeterias, e há uma em frente ao meu prédio. O café é horroroso. Tem gosto de *peixe* (pois é, também me surpreendi) e custa uma pequena fortuna. Mas continuo indo lá de vez em quando. Afinal, o lugar tem uma lareira – é hygge.

O hygge é praticado principalmente na Dinamarca?

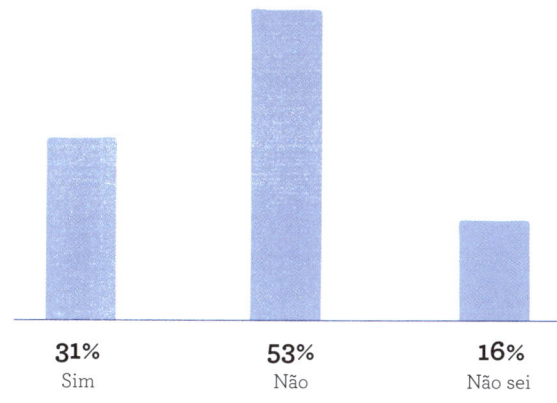

Fonte: Instituto de Pesquisa da Felicidade

Lareiras não são exclusivas da Dinamarca. Nem velas, encontros agradáveis ou uma xícara de chá numa noite chuvosa debaixo das cobertas. Os dinamarqueses, no entanto, insistem que o hygge é unicamente dinamarquês. Um terço deles se recusa a cogitar a possibilidade de que "hygge" possa ser traduzido para outros idiomas e acredita que seja praticado principalmente na Dinamarca.

Eu discordo. Os dinamarqueses não são os únicos capazes de vivenciar o hygge ou se identificar com ele, e outros idiomas têm termos com significado semelhante. Os holandeses usam *gezelligheid* e os alemães falam em *Gemütlichkeit*, uma sensação de bem-estar relacionada a boa comida e boa companhia. Já os canadenses têm a palavrinha *hominess*. No entanto, apesar de outros idiomas nomearem essa sensação, parece que apenas os dinamarqueses usam "hygge" como verbo, como em "Por que você não vem aqui e hygge com a gente hoje?". Talvez isso seja apenas nosso.

O que também pode ser exclusividade da Dinamarca quando se trata de hygge é quanto falamos sobre isso, nos concentramos nisso e consideramos esse conceito parte determinante da nossa identidade cultural, inscrita no nosso DNA. Em outras palavras, o hygge é para os dinamarqueses o que a liberdade é para os americanos, o detalhismo para os alemães e o autocontrole para os ingleses.

Devido à sua importância para a cultura e a identidade

nacionais, o idioma dinamarquês também é rico quando se trata de falarmos sobre o hygge.

O dinamarquês é uma lista infinita de termos compostos. Por exemplo, *speciallægepraksisplanlægningsstabiliseringsperiode* (período de estabilização do planejamento da prática médica especializada) é uma palavra de verdade. Ela tem 51 letras e poderia valer 1 milhão de pontos no Scrabble.

O mesmo vale para o hygge. Podemos acrescentá-lo a praticamente todas as palavras do dinamarquês. Você pode ser um *hyggespreder* (alguém que espalha o hygge), as noites de sexta podem ser reservadas para *familiehygge* e meias podem ser classificadas como *hyggesokker*. No Instituto de Pesquisa da Felicidade, penduramos um aviso:

> *"Em caso de frio nos pés, fique à vontade para pegar emprestada uma hyggesokker de lã."*

QUE HÁ NUM SIMPLES NOME?

Em Romeu e Julieta, *Shakespeare memoravelmente escreveu "Que há num simples nome? O que chamamos rosa, sob outra designação teria igual perfume", e acho que esse argumento também pode ser aplicado ao hygge.*

Os dinamarqueses não são os únicos capazes de apreciar o clima, o conforto e o prazer de estar em boa companhia, diante de uma lareira acesa, saboreando uma bebida quente.
    Enquanto a tradução de hygge como "aconchego" pode ser problemática, porque perde muitas associações importantes, é possível encontrar uma série de conceitos mais semelhantes ao hygge pelo mundo.

GEZELLIGHEID – HOLANDA

Os dicionários informam que *gezelligheid* é algo aconchegante, extraordinário ou gostoso. No entanto, o *gezelligheid* holandês vai muito além disso.

Se você quiser conquistar os holandeses, repita a mesma coisa que o ex-presidente Obama falou ao visitar o país em 2014: "Fiquei sabendo que existe uma palavra em holandês que captura um estado de espírito e que não tem tradução exata em inglês, então devo dizer que minha primeira visita à Holanda foi realmente *gezellig*."

Os holandeses costumam usar o termo *gezellig* de muitas maneiras. Por exemplo, é possível tomar café numa cafeteria *gezellig* (isto é, bem aquecida, com velas bruxuleantes e um gato dorminhoco). Abrigar-se da chuva num bar *gezellig* que vende apenas cervejas vintage e toca músicas antigas é a forma mais pura de *gezelligheid*. Sentar-se numa sala de espera estéril enquanto aguarda sua consulta com o dentista é tudo menos *gezellig*, a não ser que um amigo muito *gezellig* esteja lhe fazendo companhia. Está notando as semelhanças com o hygge?

Apesar de serem muito parecidos, os dois conceitos não são idênticos, e costuma-se enfatizar que *gezelligheid* tem um pouco mais a ver com interações sociais do que o hygge. Para testar se isso é verdade, conduzimos uma pequena pesquisa com holandeses, e os resultados parecem confirmar a teoria.

Na maioria dos quesitos, parece que os dinamarqueses vivenciam o hygge do mesmo jeito que os holandeses vivenciam o *gezelligheid*. O conceito é importante nas duas culturas, e velas, lareiras e Natal são elementos fundamentais nos dois casos. No entanto, os dados também apontam que o *gezelligheid* é mais voltado para o mundo exterior. A maioria dos holandeses (57%) concorda que boa parte do *gezelligheid* é vivenciado fora de casa, enquanto apenas 27% dos dinamarqueses acham que sair é hyggelig. Além disso, 62% dos holandeses concordam que o verão é a estação mais *gezellig* do ano, enquanto os dinamarqueses preferem o outono em termos de hygge.

KOSELIG – NORUEGA

Para os noruegueses, o ideal é que tudo seja *koselig*. Mais uma vez, não confunda a palavra com "aconchego" (segundo os noruegueses).

Mais do que tudo, *koselig* é uma sensação de afeto, intimidade, união. Uma noite *koselig* perfeita consistiria em boa comida na mesa, cores quentes na decoração ao redor, um grupo de bons amigos e uma lareira, ou pelo menos algumas velas acesas.

HOMINESS – CANADÁ

Os canadenses usam o termo *hominess* para descrever um estado de isolamento do mundo exterior. Trata-se de uma sensação de comunidade, afeto e união, mas também se refere a coisas que lembram nosso lar. Há, portanto, uma dimensão tanto física quanto simbólica: a palavra

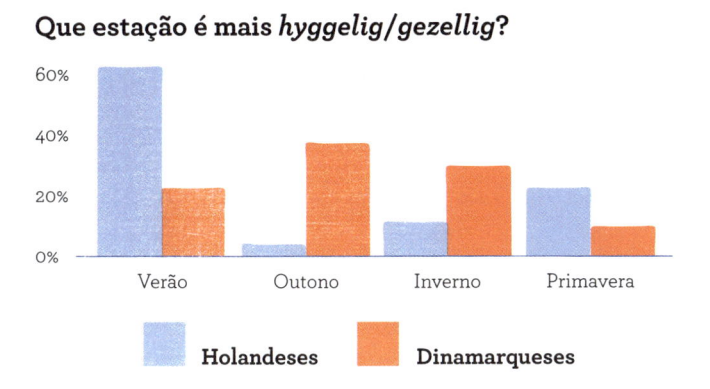

Que estação é mais *hyggelig/gezellig*?

Estação	Holandeses	Dinamarqueses
Verão	~60%	~22%
Outono	~3%	~38%
Inverno	~12%	~30%
Primavera	~23%	~10%

descreve como um lugar pode ser acolhedor se for autêntico e "real", e como uma situação pode ser acolhedora caso remeta ao estado ou à sensação de buscar abrigo e se isolar do mundo lá fora. Então, assim como o hygge, *hominess* indica uma sensação de autenticidade, afeto e intimidade.

GEMÜTLICHKEIT – ALEMANHA

Os alemães usam o termo *Gemütlichkeit* para abranger a sensação de afeto, cordialidade e pertencimento, muitas vezes descrevendo o clima num *Biergarten* alemão. Ao visitar uma Oktoberfest na Alemanha, é provável que você escute a música "Ein Prost der Gemütlichkeit" ("Um brinde ao aconchego").

O HYGGE É PARA TODOS

A lista que acabamos de ver fornece provas não apenas de que pessoas fora da Dinamarca podem vivenciar o hygge, mas também de que isso já está acontecendo.

Os conceitos não são idênticos em todos os países, mas têm em comum o fato de serem versões mais desenvolvidas de uma sensação de aconchego, afeto e união. Essas palavras denotam diferentes atividades e ambientes que geram sensações semelhantes e relacionadas que se fundiram em conceitos linguísticos.

O *hygge* dinamarquês e o *gezelligheid* holandês podem se destacar um pouco dos outros por estarem associados demais a conversas rotineiras e estilos de vida. A Dinamarca e a Holanda estão entre os países com índices mais baixos de pessoas que pouco aproveitam a vida ou raramente se sentem calmas e relaxadas. E ambos os países estão no topo das listas de felicidade divulgadas pela ONU.

Então o que há num simples nome? Por um lado, o nome específico não tem valor por si só: *hygge* funciona tão bem quanto *hominess* ou *gezelligheid*. Por outro, usamos nomes para capturar aquela sensação de aconchego, afeto e união, para moldá-la num conceito mais permanente, e, com o tempo, desenvolvemos um fenômeno que marca nossos traços culturais únicos.

POR QUE IDIOMAS DIFERENTES TÊM PALAVRAS ÚNICAS

Um finlandês e um estrangeiro entram numa floresta na Finlândia.
Finlandês: – Tem um tokka *atrás de você!*
Estrangeiro: – Um o quê? (*Paf*)
Finlandês: – Um tokka*! (*Paf*)*

Não sei se contam essa piada na Finlândia, mas deveriam. *Tokka* significa "grande bando de renas". Na maioria dos idiomas não faz sentido ter uma palavra específica para descrever um grande bando de renas em vez de uma única rena, mas, pelo visto, em finlandês faz.

Nossa linguagem reflete nosso mundo. Damos nomes às coisas que vemos. Nos anos 1880, o antropólogo Franz Boas, ao estudar o povo inuíte do norte do Canadá, ficou intrigado com o idioma local, que usava palavras como *aqilokoq* para descrever "neve que cai devagar" e *piegnartoq* para "neve propícia para guiar um trenó".

Após essas descobertas, a hipótese Sapir-Whorf sugeriu que o idioma de uma cultura reflete a maneira de um povo vivenciar o mundo ao mesmo tempo que influencia seu comportamento. Ainda sentiríamos amor se não tivéssemos uma palavra para descrevê-lo? É claro que sim.

Mas como seria o mundo se não tivéssemos uma palavra para casamento? Os termos e a linguagem que usamos moldam nossas esperanças e sonhos para o futuro, e nossos sonhos para o futuro influenciam nosso comportamento no presente.

Distinguir a neve recém-caída da neve antiga fazia com que o povo inuíte se comportasse de modo diferente, enquanto os europeus provavelmente encarariam os vários estágios da neve da mesma forma. Isso reflete uma necessidade de diferenciar tipos de neve que é atendida por meio do idioma.

Uma teoria para explicar por que criamos palavras únicas e intraduzíveis é que nós, como parte de uma determinada cultura, temos tradições e modelos de comportamento específicos. E precisamos de palavras para isso. Algumas são fáceis de traduzir, principalmente quando se trata de coisas tangíveis, visíveis. Podemos apontar para um cachorro e dizer *dog*, *perro* ou *hund*. Um cachorro é um cachorro, não importa se estamos no Reino Unido, na Guatemala ou na Dinamarca.

Entretanto, quando a palavra descreve um conceito intangível, explicá-la e traduzi-la se torna mais complexo e difícil. Essa é uma questão com que me deparo com frequência nas minhas pesquisas sobre a felicidade. E também é o caso do hygge como conceito. Ao longo deste livro, tentarei indicar coisas, experiências e momentos que são hyggelige para que você consiga entender exatamente o que é isso.

DEZ PALAVRAS E EXPRESSÕES ÚNICAS PELO MUNDO

IKTSUARPOK

(*inuíte*): Sensação de ansiedade que leva a pessoa a olhar várias vezes pela janela para ver se alguém está chegando.

FRIOLERO

(*espanhol*): Pessoa muito sensível ao frio.

CAFUNÉ

(*português do Brasil*): Carícia feita na cabeça de alguém com a ponta dos dedos.

HANYAUKU

(*cuangali; Namíbia*): Caminhar na ponta dos pés sobre areia quente.

BUSAT
(*sami; norte da Escandinávia*): Rena macho com um único testículo muito grande.

UTEPILS
(*norueguês*): Sentar-se ao ar livre num dia ensolarado apreciando uma cerveja.

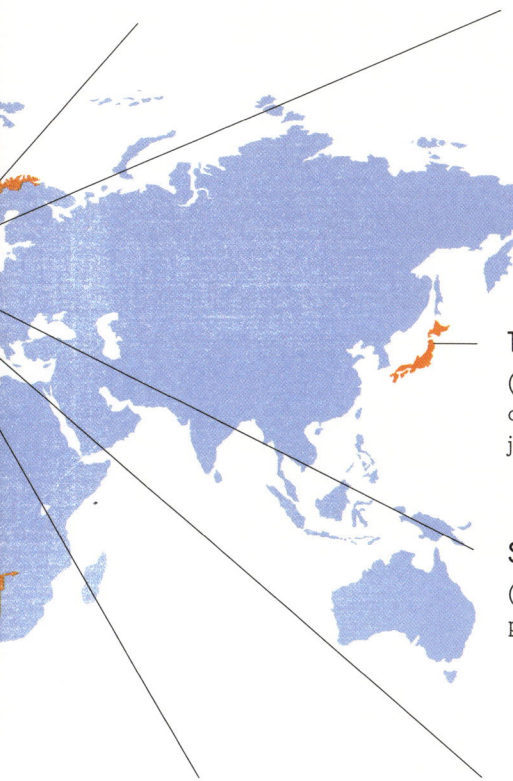

TSUNDOKO
(*japonês*): Hábito de comprar livros sem jamais lê-los.

SCHILDERWALD
(*alemão*): Rua com tantas placas que você se perde.

RIRE DANS SA BARBE
(*francês*): "Rir atrás da barba", rir de algo ou alguém de maneira discreta.

GATTARA
(*italiano*): Mulher idosa que dedica a vida a cuidar de gatos abandonados.

DICIONÁRIO DO HYGGE

Nossas palavras moldam nossos comportamentos. Então aqui estão alguns termos para você entrar no clima do hygge.

Fredagshygge/Søndagshygge [*fredas-ruga/sundas-ruga*]. O hygge que acontece às sextas-feiras ou aos domingos. Após uma longa semana, *fredagshygge* costuma significar a família se aconchegando no sofá para ver televisão. *Søndagshygge* pode ser um dia preguiçoso com chá, livros, música, cobertas e talvez uma caminhada leve, se você quiser ousar um pouco.

> *"Uma tradição fredagshygge na família era ver filmes da Disney comendo guloseimas."*

Hyggebukser [*rugabukser*]. Aquela calça que você jamais usaria em público, mas que é tão confortável que, no fundo, provavelmente é uma das suas favoritas.

> *"Ela só precisava ficar sozinha, então passou o dia em casa em sua hyggebukser, sem maquiagem, maratonando séries."*

Hyggehjørnet [*rugaiorna*]. Estar com no clima do hygge. Significado literal: "cantinho do aconchego".

> *"Estou em hyggehjørnet."*

Hyggekrog [*rugacrou*]. Cantinho da cozinha ou da sala em que alguém pode se aconchegar e aproveitar um momento hyggelig.

> *"Vamos sentar no hyggekrog."*

Hyggeonkel [*rugaônquel*]. Pessoa que brinca com as crianças e pode ser permissiva demais. Significado literal: "o tio do hygge".

> *"Ele é um hyggeonkel."*

Hyggesnak [*rugasnak*]. Bate-papo ou conversa fiada que não entra em temas polêmicos.

> *"Nós hyggesnakkede por algumas horas."*

Hyggestund [rugastun]. Momento de hygge.

> *"Ele pegou uma xícara de café e se sentou diante da janela para um hyggestund."*

Uhyggeligt [u-rúgali]. Enquanto *hygge* e *hyggelig* podem ser difíceis de traduzir em outros idiomas, esse não é o caso do seu antônimo. *Uhyggeligt* (não hygge) significa "horripilante" ou "assustador", deixando claro como a sensação de segurança é importante no hygge.

> *"Caminhar sozinho pela floresta à noite é uhyggeligt se você escutar um lobo uivando."*

Como minha amiga comentou no chalé na Suécia, a noite só seria mais hyggelig se estivesse caindo uma tempestade. Talvez o hygge seja ainda mais hygge quando há um elemento perigoso – *uhygge* – sob controle. Uma tempestade, trovoadas ou um filme de terror.

> **DICA DE HYGGE:** TREINE SEU DINAMARQUÊS
>
> Comece a aplicar o vocabulário do hygge. Convide seus amigos para uma noite hyggelig e crie palavras compostas como se não houvesse amanhã. Para se lembrar de ter hygge todos os dias, cogite prender na geladeira o Manifesto do Hygge (veja a lista a seguir).

DE ONDE VEM "HYGGE"?

O primeiro registro escrito de "hygge" data do começo do século XIX, embora a palavra tenha origem norueguesa.

Entre 1397 e 1814, a Dinamarca e a Noruega faziam parte do mesmo reino. É por isso que até hoje os dinamarqueses compreendem o idioma norueguês, e vice-versa.

A palavra original em norueguês significa "bem-estar". No entanto, *hygge* pode ter vindo da palavra *hug*. *Hug* vem de *hugge*, registrada por volta de 1560 e que significa "abraçar". Não se sabe a origem do termo *hugge* – talvez venha de *hygga*, do norueguês antigo, que significa "confortar" e por sua vez se origina de *hugr*, que significa "humor". *Hugr* vem do termo germânico *hugjan*, que é associado a *hycgan*, do inglês arcaico, e significa "pensar, refletir". Curiosamente, "reflexão", "humor", "conforto", "abraço" e "bem-estar" são palavras que podem ser usadas para descrever o que é o hygge hoje em dia.

O MANIFESTO HYGGE

1. CLIMA
Apague as luzes.

2. PRESENÇA
Esteja aqui, agora.
Desligue o celular.

3. PRAZER
Café, chocolate, biscoitos,
bolos, doces. Sim, sim, sim!

4. IGUALDADE
"Nós" acima de "eu". Divida as
tarefas e conceda o seu tempo.

5. GRATIDÃO

Assimile tudo. Talvez este seja o melhor momento da sua vida.

6. HARMONIA

Ninguém está competindo aqui. Nós já gostamos de você. Não precisa ficar se vangloriando das suas conquistas.

7. CONFORTO

Fique confortável. Tire um momento de tranquilidade. Relaxar é a única coisa que importa.

8. TRÉGUA

Sem drama. Vamos deixar os debates sobre política para outro dia.

9. UNIÃO

Aprofunde relacionamentos e narrativas. "Você se lembra daquela vez que a gente...?"

10. ABRIGO

Esta é a sua tribo. Este é um lugar de paz e segurança.

UMA CONVERSA GLOBAL SOBRE HYGGE

Só se fala de hygge por aí.

"Hygge: uma lição afetuosa da Dinamarca", escreve a BBC. "Aconchegue-se: por que devemos adotar a arte dinamarquesa do hygge", diz o *Telegraph*. A Faculdade Morley em Londres anuncia que agora ensinará seus alunos a "alcançar o hygge". A Hygge Bakery em Los Angeles oferece *romkugler* (bolinhas de rum) dinamarquesas, doces de chocolate com rum criados por padeiros dinamarqueses para aproveitar sobras de massa. No livro *Crianças dinamarquesas*, de Jessica Joelle Alexander e Iben Dissing Sandahl, é possível encontrar capítulos inteiros sobre como o hygge é a melhor maneira de criar as crianças mais felizes do mundo.

CAPÍTULO 3

UNIÃO

É QUASE UM ABRAÇO

Todo ano, eu e meus amigos vamos esquiar nos Alpes (na última vez, alguém até levou velas). Gostamos da velocidade, da emoção, do ritmo e do exercício que as pistas oferecem, mas, para mim, a melhor parte do dia é quando voltamos para o chalé.

Com os pés doloridos, o corpo tenso e cansado, eu me sento numa cadeira na varanda, e o som inconfundível de licor Grand Marnier sendo servido indica que o café está pronto. Mais pessoas vêm para a varanda, todas ainda usando a roupa de esqui, cansadas demais para se trocar, cansadas demais para conversar, cansadas demais para fazer qualquer coisa além de aproveitar a companhia silenciosa umas das outras, admirar a vista e respirar o ar da montanha.

Quando dou palestras sobre pesquisas da felicidade, peço aos ouvintes que fechem os olhos e pensem na última vez que se sentiram felizes de verdade. A plateia às vezes fica um pouco incomodada, mas garanto que não vou pedir que compartilhem a memória com mais ninguém. Quase sempre dá para perceber o momento em que lhes ocorre a lembrança feliz, já que sorrisos serenos preenchem o salão. Quando peço que levantem a mão se a lembrança incluir outras pessoas, é comum que nove entre dez façam isso.

É claro que esse não é um método científico e, portanto, não prova nada, mas permite que as pessoas associem uma memória e uma emoção às estatísticas que apresento. Quero que elas pensem nisso porque, depois de todos os trabalhos que realizei na área de pesquisa da felicidade, este é o ponto de que mais tenho certeza: o melhor indicador da nossa felicidade ou da falta dela são nossos relacionamentos. Esse é o padrão mais claro e recorrente que encontro ao analisar evidências sobre por que algumas pessoas são mais felizes do que outras.

A questão, portanto, é como moldar nossa sociedade e nossa vida de modo a permitir que relacionamentos se desenvolvam. Uma solução, obviamente, é se concentrar no equilíbrio entre trabalho e vida social. E muitos invejam a Dinamarca quando se trata disso. "Não foi surpresa nenhuma ler o primeiro Relatório Mundial da Felicidade da ONU e descobrir que os dinamarqueses estão no topo da lista", escreveu Cathy Strongman no *The Guardian*. Ela havia se mudado de Finsbury Park, em Londres, para Copenhague três anos antes, com o marido e a filha.

> *Nossa qualidade de vida disparou e nossa lealdade a Londres, antes inabalável, foi substituída por um entusiasmo quase vergonhoso por tudo que é "Dansk". A maior mudança foi a transformação no equilíbrio entre trabalho e vida social. Antes, talvez jantássemos juntos depois de Duncan escapar do trabalho por volta das nove; agora ele sai do escritório às cinco. Depois das cinco e meia, o lugar vira um cemitério. Se você trabalhar nos fins de semana, os dinamarqueses vão achar que você enlouqueceu. A ideia é que as famílias tenham tempo para se divertir e jantar juntas no fim do dia, todo dia. E dá certo. Duncan dá banho na nossa filha de 1 ano e 2 meses, Liv, e a coloca para dormir quase todas as noites. Eles são melhores amigos, e não desconhecidos que tentam retomar o contato nos fins de semana.*
>
> **Cathy Strongman,** The Guardian

Algumas pessoas já descreveram o ambiente de trabalho dinamarquês como a abertura de *Os Flintstones*. Depois de bater cinco horas, todo mundo vai embora antes mesmo que você consiga dizer "Iaba-daba-du!". Os funcionários com filhos costumam sair às quatro; os

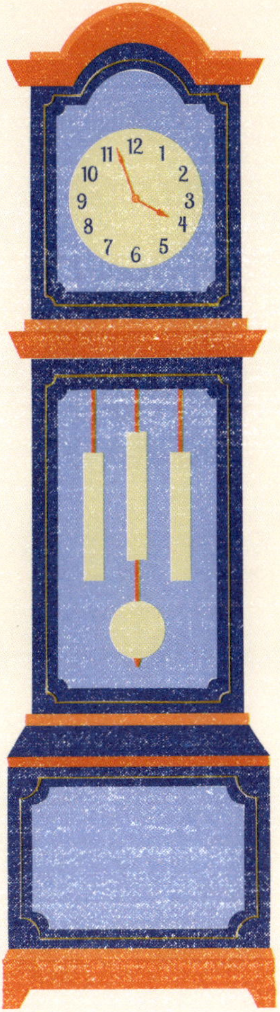

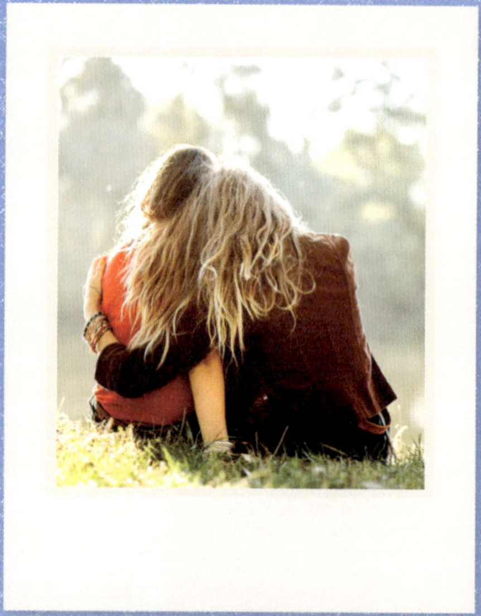

outros, às cinco. Todo mundo vai para casa e prepara o jantar. Como gerente, evito marcar reuniões que possam terminar após as quatro se tenho mães e pais na minha equipe, para que eles consigam buscar as crianças no horário normal.

Em média, 60% dos europeus socializam com amigos, parentes ou colegas de trabalho pelo menos uma vez por semana. Na Dinamarca, essa média é de 78%. Apesar de você poder ter hygge sozinho, ele acontece principalmente em pequenos grupos de familiares e amigos próximos.

O hygge também é um momento de muita reflexão e tranquilidade. Ninguém se torna o foco dos holofotes nem monopoliza a conversa por tempo demais. A igualdade é um elemento importante do hygge – uma característica profundamente enraizada na cultura dinamarquesa – e também se manifesta no fato de que todo mundo participa das tarefas da noite hyggelig. Tudo fica mais hyggelig se ajudarmos a preparar a comida, em vez de o anfitrião ficar sozinho na cozinha.

O tempo de convivência cria um clima afetuoso, relaxado, amigável, prático, intimista, confortável, aconchegante e acolhedor. Em muitos aspectos, é como um bom abraço – mas sem o contato físico. É uma situação em que você pode ficar completamente relaxado e à vontade. A arte do hygge é, portanto, a arte de expandir sua zona de conforto para incluir outras pessoas.

ONDE ENTRA O AMOR NESSA HISTÓRIA? NA OXITOCINA

Alguém toca seu ombro, lhe dá um beijo ou acaricia sua bochecha e você instantaneamente se sente calmo e feliz. Nosso corpo funciona assim, e é algo maravilhoso. O toque libera oxitocina, o neuro-hormônio que gera felicidade e reduz o estresse, o medo e a dor.

Mas em que momentos sentimos o prazer de ter oxitocina fluindo pelo corpo? Dizem que abraços trazem felicidade, e é verdade: a oxitocina começa a fluir em situações de intimidade e nos ajuda a criar conexões uns com os outros. É por isso que ela também é chamada de "hormônio do carinho" ou "hormônio do amor". O hygge também é uma atividade íntima que costuma ser associada ao aconchego e à companhia de certas pessoas, levando à conclusão de que o corpo produzirá oxitocina nesses momentos. Abraçar um animal de estimação tem o mesmo efeito que se aninhar com alguém: nós nos sentimos amados, quentinhos e seguros, três palavras essenciais para o conceito do hygge. A oxitocina é liberada quando estamos fisicamente próximos de outro corpo e pode ser descrita como uma "cola social", já que une a sociedade por meio de cooperação, confiança e amor. Talvez seja por isso que os dinamarqueses têm plena confiança em desconhecidos; eles praticam muito o hygge, e atividades hyggelige liberam oxitocina, que também diminui a hostilidade e aumenta a conexão social. Além disso, a sensação de estar aquecido e saciado também libera esse neuro-hormônio. Boa comida, velas, lareiras e cobertores são elementos indissociáveis do hygge – de certa forma, o hygge gira em torno da oxitocina. Será mesmo tão simples assim? Talvez não seja coincidência o fato de que tudo o que tem relação com o hygge nos traz felicidade, calma e segurança.

JUNTOS E FELIZES

Estar na companhia de outras pessoas é parte fundamental do hygge, mas, como pesquisador da felicidade, também acredito que esse possa ser o ingrediente mais importante para sermos felizes. Muitos pesquisadores e cientistas que estudam a felicidade concordam que relações sociais são fundamentais para a felicidade das pessoas.

De acordo com o Relatório Mundial da Felicidade, publicado pela ONU, "apesar de condições básicas de vida serem essenciais para a felicidade, após determinado nível a felicidade varia mais pela qualidade das relações humanas do que pela renda".

A importância dos nossos relacionamentos até gerou tentativas de avaliá-los em termos monetários. "Putting a Price Tag on Friends, Relatives and Neighbours: Using Surveys of Life Satisfaction to Value Social Relationships" (A precificação de amigos, parentes e vizinhos: o uso de pesquisas sobre satisfação de vida para valorizar relacionamentos sociais), um estudo feito no Reino Unido em 2008, estimou que o aumento na satisfação com a vida gerado por um envolvimento social maior equivale a 85 mil libras extras por ano.

Sempre me deparo com essa associação entre relacionamentos e felicidade em dados e pesquisas por todo o mundo, assim como na Dinamarca. Um exemplo é um estudo que conduzimos alguns anos atrás no Instituto de Pesquisa da Felicidade, na cidade de Dragør, nos arredores de Copenhague.

Trabalhamos com a câmara municipal para avaliar a felicidade e a satisfação com a vida dos cidadãos de Dragør, e juntos elaboramos recomendações sobre como melhorar a qualidade de vida na cidade. Como parte do estudo, analisamos o nível de satisfação das pessoas com suas relações sociais – além de quão felizes elas se sentiam, é claro. Encontramos uma correlação muito forte entre as duas coisas, como sempre. Quanto mais satisfeitas as

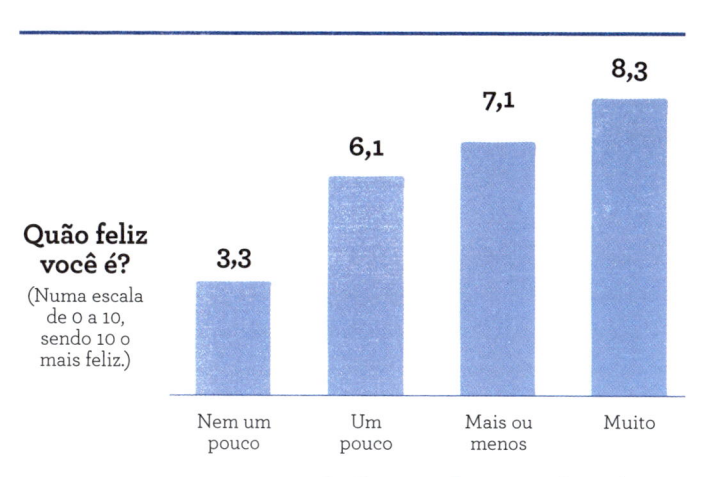

Quão feliz você é?
(Numa escala de 0 a 10, sendo 10 o mais feliz.)

Nem um pouco	Um pouco	Mais ou menos	Muito
3,3	6,1	7,1	8,3

Quão satisfeito você está com seus relacionamentos?

pessoas se sentem com suas relações sociais, mais felizes são de maneira geral. Como já mencionei, o fator social costuma ser o melhor indicador de felicidade. Se não for possível perguntar diretamente para as pessoas até que ponto elas são felizes, pergunto se estão satisfeitas com seus relacionamentos, porque isso me dá a resposta.

Ter um sentimento de satisfação geral com nossos relacionamentos é uma coisa; a alegria diária de ter boas companhias é outra. E o Método da Reconstrução do Dia, elaborado por Daniel Kahneman, psicólogo vencedor do Prêmio Nobel de Economia de 2002, pode nos ajudar a entender o efeito do hygge em relação a isso. O método incentiva as pessoas a seguirem com sua rotina e avaliarem quanto se sentiram satisfeitas, irritadas ou deprimidas durante a execução de uma série de atividades.

Num estudo de 2004 que se tornou um clássico, um grupo de cientistas de Princeton, liderado pelo Dr. Kahneman, recrutou 909 mulheres no Texas para participar de um experimento. As mulheres preenchiam um longo diário e um questionário detalhando tudo que tinham feito durante o dia com base numa escala de sete pontos: o que fizeram e em que momento, com quem estavam e como se sentiram durante cada atividade. Os pesquisadores descobriram, provavelmente para a surpresa de ninguém, que o deslocamento para o trabalho, a execução de tarefas domésticas e conversas com um chefe eram as atividades menos agradáveis, enquanto sexo, momentos de socialização, refeições e descanso eram os mais prazerosos.

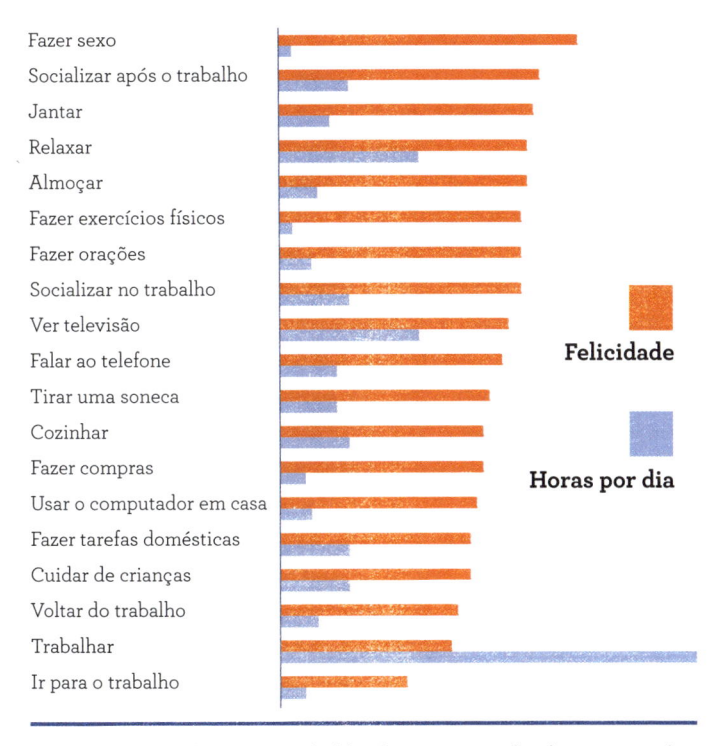

Fazer sexo	
Socializar após o trabalho	
Jantar	
Relaxar	
Almoçar	
Fazer exercícios físicos	
Fazer orações	
Socializar no trabalho	
Ver televisão	
Falar ao telefone	**Felicidade**
Tirar uma soneca	
Cozinhar	
Fazer compras	**Horas por dia**
Usar o computador em casa	
Fazer tarefas domésticas	
Cuidar de crianças	
Voltar do trabalho	
Trabalhar	
Ir para o trabalho	

Fonte: Kahneman et al., A Survey Method for Characterizing Daily Life Experience: The Day Reconstruction Method (Um método de pesquisa para caracterizar a experiência da vida rotineira: o Método da Reconstrução do Dia), 2004.

É claro que socializar, comer e relaxar também são ingredientes importantes do hygge.

De acordo com a "hipótese do pertencimento", temos uma necessidade básica de nos sentirmos conectados com os outros, e a existência de laços próximos, afetuosos, com outras pessoas é uma parte importante da nossa motivação e do nosso comportamento. Entre as evidências a favor da hipótese do pertencimento estão os seguintes fatos: pessoas por todo o mundo nascem com a capacidade e a motivação de formar relacionamentos próximos; pessoas hesitam em quebrar laços após formá-los; e pessoas casadas ou que dividem um lar vivem mais do que pessoas solteiras (apesar de isso acontecer em parte devido a um sistema imunológico mais fortalecido).

"Relacionamentos afetam nossa felicidade... Uau, que informação surpreendente, pesquisa da felicidade!" Sim, como cientista, pode ser muito frustrante passar anos estudando por que algumas pessoas são mais felizes do que outras e encontrar uma resposta que todo mundo já imaginava. Mesmo assim, agora temos números, dados e evidências para sustentar a teoria, e podemos e devemos usá-los para moldar as leis, a sociedade e a nossa vida.

O hygge precisa de quantas pessoas?

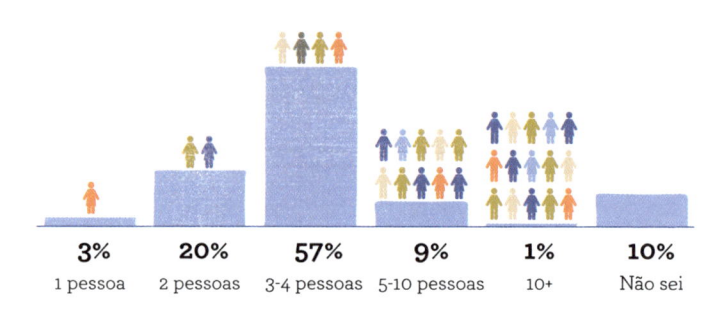

3%	20%	57%	9%	1%	10%
1 pessoa	2 pessoas	3-4 pessoas	5-10 pessoas	10+	Não sei

Somos criaturas sociais, e a importância disso pode ser vista claramente ao compararmos a satisfação que as pessoas sentem nos relacionamentos com sua satisfação geral na vida. As relações sociais mais importantes são aquelas com pessoas próximas, com quem dividimos experiências e por quem nos sentimos compreendidos; com quem compartilhamos reflexões e sentimentos; a quem damos e de quem recebemos apoio. Em uma palavra: hygge.

Talvez seja por isso que os dinamarqueses prefiram círculos menores de amizade quando buscam pelo hygge. É claro que uma ocasião hyggelig pode acontecer com mais pessoas, mas dinamarqueses gostam de grupos pequenos. E quase 60% dizem que o número ideal de pessoas para o hygge é três a quatro.

O LADO SOMBRIO DO HYGGE

Com certeza há vantagens em passar tempo com amigos de longa data que formam um grupo unido que se conhece bem.

Só que nos últimos anos cheguei à conclusão de que esse cenário social tem um grave defeito: ele não admite novatos com facilidade. Todos os estrangeiros moradores da Dinamarca que conheci me dizem a mesma coisa. É quase impossível conseguir entrar nos círculos sociais daqui. Ou é algo que só acontece após anos e anos de muito esforço e persistência.

De fato, os dinamarqueses não têm o hábito de convidar pessoas novas para seus círculos de amizade. Isso acontece, em parte, pelo conceito do hygge; seria menos hyggeligt ter muita gente nova num evento. Então entrar para um grupo exige muito esforço e muita solidão pelo caminho. O lado positivo, nas palavras do meu amigo Jon, é que "depois que você entra, não sai mais". Depois de superar as barreiras iniciais, você pode ter a certeza de que formou amizades para a vida inteira.

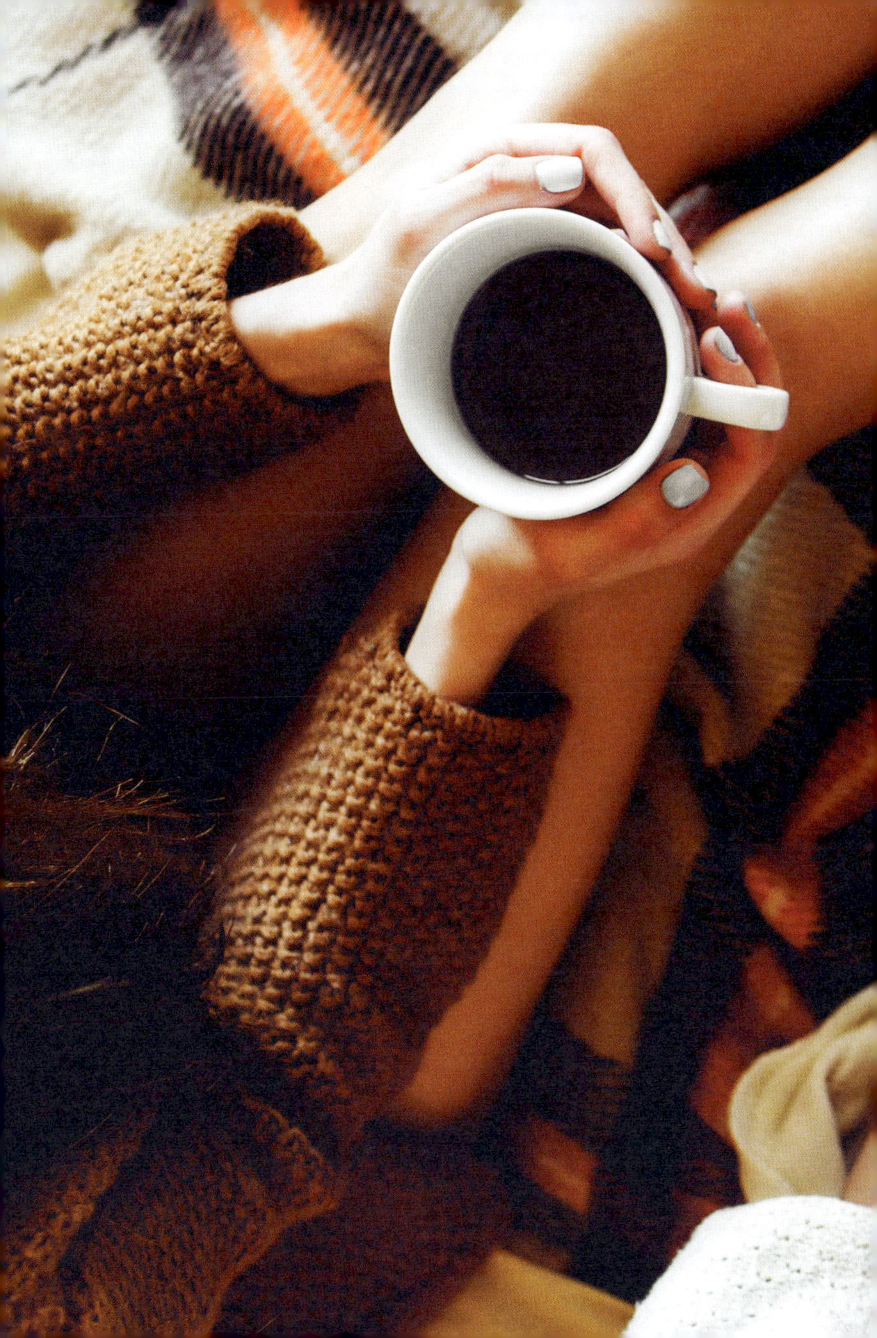

HYGGE – SOCIALIZAÇÃO PARA INTROVERTIDOS

Durante o processo de pesquisa para este livro, dei uma palestra para um grupo de estudantes americanos que estavam passando um semestre em Copenhague. Costumo aproveitar essas palestras para reunir dados e inspiração para a pesquisa em que estou trabalhando no momento, e foi isso que fiz dessa vez, guiando a conversa para a relação entre bem-estar e hygge.

Uma estudante que até então não tinha se manifestado sobre outros assuntos levantou a mão nessa hora. "Sou introvertida", disse ela. "E, para mim, o hygge é maravilhoso." Seu argumento era que, nos Estados Unidos, ela estava acostumada a participar de atividades sociais com muitas pessoas, cheias de networking e agitação. Em resumo, ela estava no reino dos extrovertidos. Na Dinamarca, ela se sentiu muito mais à vontade com a maneira como atividades sociais são organizadas e descobriu que o hygge é a melhor coisa que poderia acontecer com introvertidos. Era um jeito de ser sociável sem drenar as energias. Talvez essa tenha sido uma das observações mais perspicazes que escutei em muito tempo, e prometi a ela que a roubaria para incluir neste livro.

Sabe-se que a energia dos introvertidos vem do seu interior, enquanto extrovertidos recebem energia de estímulos externos. Os introvertidos costumam ser vistos como solitários, enquanto extrovertidos vivem cercados de pessoas quando querem se divertir. A introversão muitas vezes é associada equivocadamente a timidez, e, embora eventos sociais não sejam para todos e possam levar uma pessoa introvertida à exaustão com seu excesso de estímulos, os introvertidos sociáveis existem (assim como existem extrovertidos quietinhos).

Talvez soe clichê, mas é comum que introvertidos prefiram passar seu "tempo social" com entes queridos que conhecem muito bem, tendo conversas profundas ou lendo um livro enquanto bebem algo quente. Essas situações têm um fator hygge altíssimo – o que é ótimo, não é? Introvertidos são sociáveis, mas de um jeito diferente. Não existe um modo único de interagir com outras pessoas, mas pode parecer que existem formas certas e erradas. Só porque os introvertidos ficam exaustos ao receber muitos estímulos externos não significa que eles não queiram passar tempo com outras pessoas. O hygge é uma forma de socialização interessante para os introvertidos: eles podem curtir uma noite relaxante e aconchegante com alguns amigos, sem incluir muita gente nem muitas atividades. Talvez um introvertido prefira ficar em casa em vez de ir a uma festa animada com muita gente desconhecida, e o hygge se torna uma opção, uma mistura entre socializar e relaxar. Ele une os dois mundos, o que é uma ótima notícia tanto para introvertidos quanto para extrovertidos, já que é um meio-termo. Então, para todo introvertido por aí: não sinta vergonha nem ache que você é chato por preferir coisas que são hygge. E para todo extrovertido: acenda umas velas, coloque uma música relaxante e aceite seu introvertido interior, mesmo que apenas por uma noite.

DICA DE HYGGE: COMO CRIAR MEMÓRIAS

Todo mundo sabe que a melhor parte das memórias é criá-las. Comece uma nova tradição com seus amigos e parentes. Pode ser brincar com jogos de tabuleiro na primeira sexta-feira do mês, comemorar o réveillon na praia ou alguma outra atividade significativa que torne seu grupo mais unido ao longo dos anos.

CAPÍTULO 4

COMES
E BEBES

VOCÊ É O QUE VOCÊ COME

Se o hygge fosse uma pessoa, acho que seria Hugh Fearnley-Whittingstall, da série de televisão britânica River Cottage. *Ao encarar a vida de um jeito casual, rústico e vagaroso, ele personifica muitos dos elementos essenciais do hygge – e também parece compreender o valor de uma boa refeição aconchegante na companhia de pessoas legais.*

A culinária contemporânea nórdica começou a receber muita atenção nos últimos anos. O foco foi o NOMA, que abriu em 2003 e foi nomeado quatro vezes o melhor restaurante do mundo desde 2010. Apesar de um prato que consiste em um camarão vivo coberto com formigas ser digno de manchetes, a culinária dinamarquesa do dia a dia passa longe disso. Um almoço tradicional na Dinamarca inclui uma versão econômica de *smørrebrød* (sanduíches abertos) com pão de centeio, arenque em conserva ou *leverpostej* (patê de fígado – uma mistura de banha e fígado suíno assado e picado). Aposto que as formigas estão parecendo mais apetitosas agora. Para o jantar, *50 tons de carne e batatas* seria um bom título para um livro de culinária local. Os dinamarqueses adoram carne, e, em média, cada pessoa consome cerca de 48 quilos de carne por ano – sendo a suína a favorita da nação.

O grande consumo de carne, produtos de confeitaria e café na Dinamarca é diretamente associado ao hygge. O hygge gira em torno de sermos gentis conosco – de nos permitirmos uma guloseima e de darmos a nós mesmos e aos outros uma folga das exigências de uma vida saudável. Doces são hyggelige. Bolo é hyggelig. Café e chocolate quente também são hyggelige. Cenouras, nem tanto. O hedonismo é um componente integral do ritual do hygge. Mas não deve ser algo muito chique ou extravagante. *Foie gras* não é hyggelig. Mas um bom guisado, sim. Pipoca, também. Especialmente se dividirmos com alguém.

VAMOS PECAR JUNTOS

Alguns anos atrás, visitei um amigo e a família dele. Sua filha tinha 4 anos na época e, durante o jantar, ela se virou para mim e perguntou:

– Qual é o seu trabalho?
 – Eu tento descobrir o que faz as pessoas felizes – respondi.
 – Essa é fácil. – Ela deu de ombros. – Doces.
Quando se trata de felicidade, não sei se a resposta é tão simples assim, mas talvez ela tivesse razão no que se refere ao hygge.

Os dinamarqueses são loucos por confeitaria, e a grande maioria deles a associa ao hygge: balas de goma, alcaçuz, *flødeboller* (domos de chocolate recheados com merengue)... Na verdade, de acordo com um relatório da Confeitaria de Doces da Europa, o consumo anual

Consumo de doces

4,1 kg
média da Europa

8,2 kg
média da Dinamarca

de doces na Dinamarca é de 8,2 quilos por pessoa, e os dinamarqueses só perdem para os finlandeses como o povo que mais consome doces de confeitaria no mundo, totalizando o dobro da média europeia. Além disso, era previsto que o consumo dos dinamarqueses aumentasse para 8,5 quilos de doces até 2018, superando a Finlândia como o país mais obcecado por açúcar no mundo. E os dinamarqueses não são loucos apenas por doces. Alguém quer bolo?

BOLO

Não há dúvida de que bolos sejam hyggelige, e nós, dinamarqueses, comemos bolo sem parar. Inclusive no trabalho. Eu e Jon, um dos meus parceiros de pôquer, nos encontramos em seu bar favorito em Copenhague, o Lord Nelson, para conversar sobre o hygge e a obsessão dinamarquesa por bolos.

"A gente vasculha salas de reunião em busca de restos de bolo. É o que chamamos de ronda dos bolos", me contou ele. "E isso é só para reuniões internas. Quando recebemos clientes, servimos biscoitinhos também." Jon tem razão. Bolos e doces tornam tudo hyggelig, e não só quando os comemos, mas também enquanto os preparamos. Sem falar que dão um clima mais casual a todas as reuniões de negócios.

No entanto, a maioria dos bolos é consumida fora do ambiente de trabalho, em casa ou em confeitarias. Uma das mais populares e tradicionais é a La Glace, a mais antiga da Dinamarca, inaugurada em 1870. Sua seleção de bolos, incluindo os que levam o nome de dinamarqueses famosos, como Hans Christian Andersen e Karen Blixen, parecem saídos de um sonho. O mais famoso talvez seja o "bolo esportista", que é basicamente um mar de chantili, nem de perto o café da manhã de um atleta. O nome vem do fato de que o bolo foi produzido pela primeira vez para a estreia de uma peça chamada *Esportista*, em 1891. As estruturas antigas, a decoração interior, os bolos e os doces e os lindos salões em que nos sentamos para apreciar uma obra-prima açucarada esbanjam hygge por toda Copenhague.

KAGEMAND

Há quem diga que os super-heróis de uma pessoa revelam muito sobre ela. Os americanos têm o Super-Homem, o Homem-Aranha e o Batman. Os dinamarqueses têm... bem, o Homem-Bolo.

Tudo bem, ele não é exatamente um super-herói, mas é tão popular quanto seus colegas americanos em festinhas de aniversário. O Homem-Bolo (*Kagemand*, que se pronuncia "quêimen") é um elemento tradicional de festas infantis na Dinamarca. Ele parece um biscoito de gengibre gigante, é feito de massa amanteigada, e decorado com doces, bandeiras da Dinamarca e velas. Se pudéssemos acrescentar bacon à receita, teríamos todos os elementos básicos da Dinamarca concentrados em um lugar só. Parte da tradição é que o aniversariante corte a garganta do Homem-Bolo enquanto as outras crianças gritam, alvoroçadas: "Feliz aniversário, amiguinho. Agora corte a garganta do Homem-Bolo." Existe algo mais hyggelig do que um tradicional aniversário nórdico?

DOCES

Alguns países de língua inglesa chamam o doce tipicamente dinamarquês de "danish", o que significa... bem, "dinamarquês". Nem toda nação é homenageada no nome de uma massa amanteigada cheia de creme no meio.

Isso costuma acontecer com países que perderam todas as guerras de que participaram ao longo dos séculos. No entanto, na Dinamarca, os pães doces dinamarqueses se chamam *wienerbrød* (pão de Viena), já que as primeiras receitas foram elaboradas por chefs que visitaram a capital austríaca no meado do século XIX. Alguns recebem nomes fofos, como "lesma" ou "olho ruim do padeiro", mas, deixando de lado esse detalhe, são deliciosos e ótimos para o hygge. Além disso, se você quiser espalhar felicidade e alegria por um ambiente de trabalho dinamarquês, é só gritar *"Bon-kringle!"*. *Kringle* é um doce dinamarquês clássico, e *bon* significa "recibo". O conceito por trás do *bon-kringle* é que, depois que você comprar o equivalente a 1.000 coroas dinamarquesas (cerca de 700 reais) em bolos e doces na sua padaria local, receberá um *kringle* grátis se mostrar as notas fiscais para o padeiro. É como um cartão de fidelidade da padaria – mas sem o cartão de fidelidade.

FAÇA VOCÊ MESMO

Colocar a mão na massa e preparar seus próprios doces em casa é uma atividade hyggelig que você pode fazer sozinho ou com amigos e parentes. Poucas coisas aumentam tanto o fator hygge quanto o aroma de doces assando.

E eles não precisam parecer saídos de um filme da Disney: quanto mais rústicos, mais hygge. Já faz um tempo que o pão de fermentação natural, o *sourdough*, faz sucesso entre os dinamarqueses. A lentidão do processo e a sensação de cuidar de um "ser vivo" torna tudo ainda mais hyggeligt. Alguns dinamarqueses falam sobre a massa de pão como se ela fosse um bebê que precisa de alimentação e cuidado. O *sourdough* é praticamente um Tamagotchi comestível.

BEBIDAS QUENTES

Minha equipe de pesquisadores conversou com dinamarqueses para entender o que eles mais associam ao hygge. Eu apostava nas velas, mas errei. As velas estão em segundo lugar, enquanto as bebidas quentes ocupam o topo do pódio.

Bebidas quentes são associadas ao hygge por 86% dos dinamarqueses. Pode ser chá, chocolate ou vinho quente, mas a favorita por aqui é o café.

Se você gosta de dramas dinamarqueses como *Borgen* ou *The Killing: História de um assassinato*, já deve ter percebido o apreço que temos pelo café. Em praticamente todas as cenas alguém está pedindo um café, passando um café ou olhando para outra pessoa e perguntando: "Café?" Os dinamarqueses estão em quarto lugar na lista de maiores consumidores de café do mundo e consomem cerca de 33% mais do que os americanos *per capita*.

A conexão entre café e hygge é óbvia no idioma dinamarquês. *Kaffehygge*, outra palavra composta, agora unindo "café" e "hygge", está por todo canto. "Venha para um *kaffehygge*!". Fazemos dobradinha de *kaffehygge* e bolo, *kaffehygge* e ginástica, *kaffehygge* e tricô... O *kaffehygge* pode ser encontrado em todos os lugares. Existe até um site dedicado a ele, que declara: "Viva hoje como se não houvesse café amanhã."

    Então, apesar de ser possível ter hygge sem café, a bebida com certeza contribui com o climinha. É reconfortante segurar uma xícara quente de café nas mãos. É algo que, sem dúvida, propicia o hygge.

VÍCIO EM HYGGE?

Não podemos comprar felicidade, mas podemos comprar bolo, o que é praticamente a mesma coisa – pelo menos na opinião do nosso cérebro. Imagine abrir a porta de uma cafeteria. Os aromas tentadores das guloseimas vêm ao seu encontro, e, ao se deparar com todos aqueles doces, você se sente feliz. Após escolher seu bolo favorito, a primeira garfada gera uma euforia que se espalha

O que os dinamarqueses associam ao hygge?

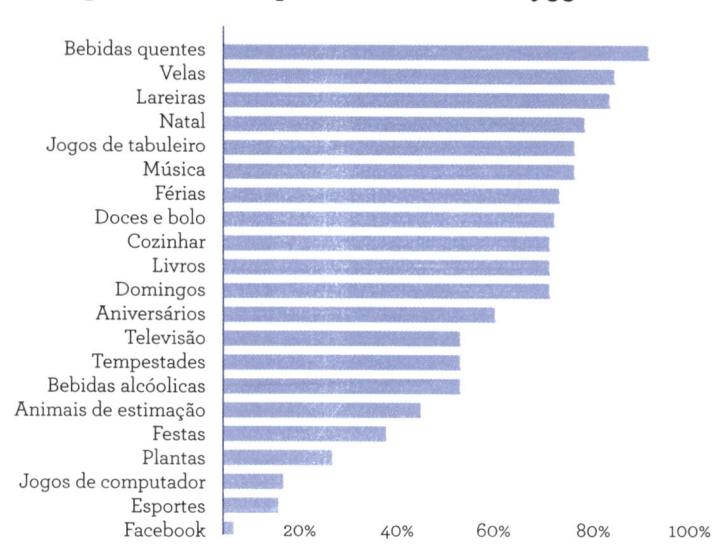

pelo seu corpo. Mas você já parou para pensar *por que* se sente tão feliz ao comer doces?

No cérebro, temos algo chamado núcleo accumbens. Ele faz parte do sistema de recompensas e tem um papel importante na motivação, no prazer e na formação de hábitos. Temos esse sistema devido à importância de sentirmos prazer quando, por exemplo, comemos e fazemos sexo, que são atividades essenciais para nossa sobrevivência.

Quando fazemos algo recompensador, dopamina é liberada. Sentimos prazer quando a dopamina é transferida para receptores em diferentes partes do cérebro. As lembranças de um evento prazeroso são armazenadas no córtex cerebral para não serem esquecidas. Talvez pareça estranho, mas, de certa forma, podemos dizer que o cérebro cria vícios para nossa sobrevivência.

Quando nascemos, a primeira coisa que provamos é a doçura do leite materno. Gostar de alimentos doces é benéfico para nossa sobrevivência, o que explica por que consumir bolos e outros alimentos açucarados nos traz alegria, e também por que sentimos dificuldade em cortá-los da nossa dieta. O corpo nos ensina que devemos manter comportamentos que são recompensados. A mesma coisa acontece quando se trata de gordura e sal.

Em resumo, associamos certos tipos de alimento ao prazer e isso nos faz querer mais deles. O hygge deveria causar uma sensação boa; ou seja, se você quiser comer bolo, coma bolo. Só que é preciso saber a hora de parar. Dor de barriga não é muito hyggeligt.

SLOW FOOD E HYGGE

Então doces e bolos são hyggelige. Mas a alimentação hygge vai além de apenas aumentar sua massa corporal. O hygge envolve guloseimas, mas também está muito associado a apreciar todo o processo.

Para determinarmos até que ponto um alimento é hyggelig, precisamos levar em consideração seu preparo. A regra geral é a seguinte: quanto mais tempo um prato demorar para ficar pronto, mais hyggelig ele é.

Preparar uma comida hyggelig é apreciar o processo vagaroso, valorizar o tempo que dedica a ele e sentir a alegria de fazer algo delicioso. Trata-se da sua relação com o alimento. É por isso que geleias caseiras são mais hyggelige do que as industrializadas. Toda porção levará você de volta ao dia de verão em que comprou ou colheu as frutas, quando sua casa foi tomada pelo cheiro de morangos.

Principalmente no inverno, gosto de dedicar boa parte das tardes do fim de semana a cozinhar algo que precisa passar horas no forno ou borbulhando no fogão. O processo pode até ser estendido com uma visita a uma feira de rua, com a seleção cuidadosa das verduras da estação, ou com uma conversa com o açougueiro sobre qual carne ele recomendaria para um ensopado de preparo lento.

Ter uma panela fumegando enquanto você lê um livro no seu *hyggekrog* é não apenas o som do hygge, mas também a essência dele. O único motivo para se levantar é acrescentar mais um pouco de vinho tinto ao ensopado.

É importante deixar claro que o processo não precisa envolver o cozimento de algum prato nórdico cheio de carne. O importante é a atividade, não o produto final. No verão passado, tentei fazer *limoncello*. Parte do processo é deixar a casca de vários limões-sicilianos marinando no álcool por uma semana, para a bebida absorver o sabor e a cor da casca. Todos os dias, quando chegava do trabalho, eu abria a geladeira e inalava para ver se minha poção estava progredindo. O resultado final foi mediano, mas o prazer de monitorar o progresso da garrafa foi completamente hygge.

RECEITAS HYGGE

Cada receita a seguir é hygge até não poder mais.

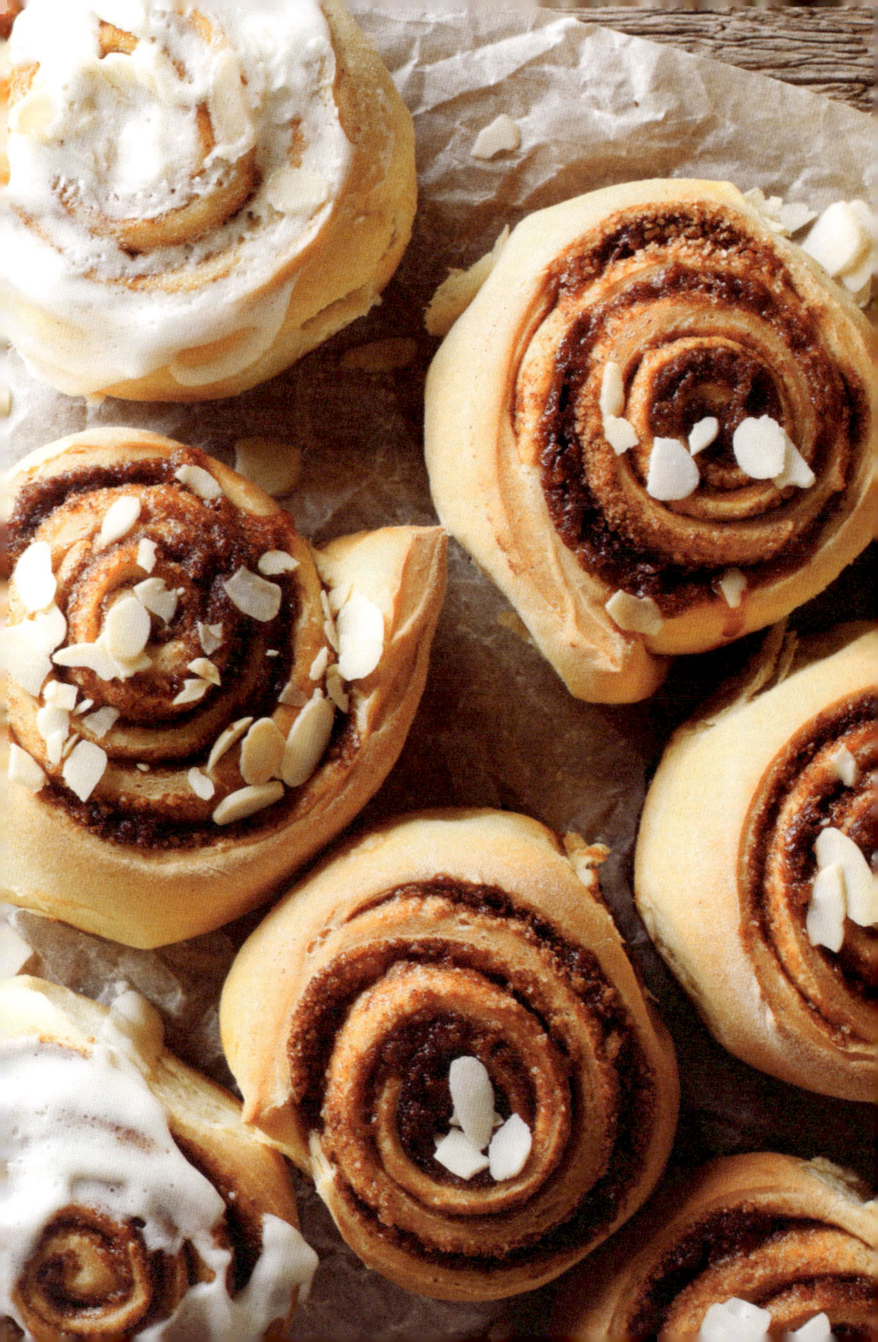

SKIBBERLABSKOVS
[SKIPERLÁPSCOUS]

ENSOPADO DO CAPITÃO

Este prato é um ensopado encorpado, prático, originalmente preparado em navios (por isso o nome) e é ótimo para um dia fresco de outono. Em vez de peito de boi, você pode usar quaisquer sobras de carne, tornando-o ainda mais prático e hyggelig.

Serve de 4 a 6 porções. O tempo de preparo é de 1 hora e 15 minutos.

- 750 g de peito de boi
- 3 cebolas
- 100 g de manteiga
- 3 a 4 folhas de louro
- Pimenta-do-reino a gosto
- 1 l de caldo de galinha
- 1,5 kg de batatas
- Sal a gosto
- Cebolinha a gosto
- Beterraba em conserva
- Pão de centeio

---

1. Corte o peito em cubos pequenos.
2. Descasque e corte as cebolas como preferir.
3. Derreta a manteiga numa panela de fundo grosso e refogue as cebolas até ficarem transparentes (elas não devem caramelizar).
4. Acrescente a carne, o louro e a pimenta, depois o caldo de galinha até cobrir a carne e as cebolas.
5. Tampe e deixe cozinhar por cerca de 45 minutos. Descasque as batatas e corte-as em cubos pequenos.
6. Adicione metade das batatas sobre a carne e volte a tampar.
7. Após 15 minutos, mexa e acrescente o restante das batatas – e mais um pouco do caldo de galinha, se necessário. Ferva por mais 15 a 20 minutos em fogo baixo, mexendo regularmente para não grudar no fundo da panela. O objetivo é que a carne se misture a um purê de batata, mas que ainda tenha pedaços inteiros de batata macia.
8. Tempere com sal e pimenta a gosto e sirva com uma lasca de manteiga, uma camada generosa de cebolinha, beterraba em conserva e pão de centeio.

GUISADO DE BOCHECHA DE PORCO EM CERVEJA PRETA COM PURÊ DE BATATA E AIPO

Este é um dos meus pratos favoritos de inverno. Ele precisa cozinhar por um bom tempo para aumentar o fator hygge e permitir que você fique esperando com uma taça de vinho e seu livro favorito.

Para o guisado:
- 10 a 12 bochechas de porco
- Sal e pimenta a gosto
- 15 g de manteiga
- meio talo de aipo em rodelas
- 1 cenoura em rodelas
- 1 cebola em rodelas
- 1 tomate cortado em quatro
- 500 ml de cerveja preta

Para o purê:
- 750 g de batata
- 1 talo de aipo
- 200 ml de leite
- 1 colher de manteiga

Guisado de bochecha de porco:

1. Seque as bochechas de porco com um papel-toalha e tempere com sal e pimenta.
2. Derreta a manteiga numa panela em temperatura média a alta. Acrescente a carne e doure-a dos dois lados por 3 a 4 minutos.
3. Acrescente o aipo, a cenoura e a cebola, dourando-os antes de acrescentar o tomate.
4. Adicione a cerveja. Acrescente água, se necessário, até cobrir a carne e as hortaliças.
5. Baixe o fogo e deixe ferver por cerca de uma hora e meia, até a carne ficar macia.
6. Retire a carne, mas deixe o molho fervendo até reduzir, depois coe e tempere a gosto.

Purê de batata e aipo:

1. Corte as batatas e o aipo em cubos.
2. Cozinhe as batatas e o aipo até ficarem macios, depois retire a água e os amasse.
3. Esquente o leite na panela, depois o adicione ao purê junto com a manteiga. Tempere a gosto.

Sirva as bochechas de porco sobre o purê. Você pode acrescentar salsinha e uma fatia de pão para passar no molho.

BOLLER I KARRY [BÓLAR I CÁRI]

ALMÔNDEGAS AO CURRY

Esta receita tradicional é muito popular entre pessoas de todas as idades. Era o prato favorito da minha mãe e, apesar de ela ter falecido há mais de vinte anos, ainda o preparo no aniversário dela. Existe forma melhor de nos lembrarmos das pessoas que perdemos do que preparar sua refeição predileta? Assim, uma ocasião triste pode acabar se tornando uma noite hyggelig.

Serve 4 porções. O tempo de preparo é de 1 hora e 35 minutos (incluindo 1 hora para a massa descansar).

- 1 xícara de farinha de rosca ou 2 colheres de sopa de farinha de trigo
- 1 ovo
- 2 cebolas bem picadas
- 3 dentes de alho picados
- Sal e pimenta a gosto
- 2 kg de carne de porco moída
- 4 xícaras de caldo de carne

Para o molho curry:

- 2 colheres de sopa de manteiga
- 2 colheres de sopa generosas de curry em pó
- 1 cebola grande em cubos
- 1 alho-poró grande fatiado
- 5 colheres de sopa de farinha de trigo
- 100 g de creme de leite preferencialmente fresco
- Salsinha para decorar

1. Numa tigela grande, misture a farinha de rosca ou de trigo com o ovo, a cebola, o alho, o sal e a pimenta. Acrescente a carne, misture de novo e deixe na geladeira por 1 hora.
2. Com uma colher, forme almôndegas com a massa. Ferva água numa panela, acrescente o caldo de carne e as almôndegas e deixe cozinhar por 5 a 10 minutos. Retire-as com uma escumadeira, mas não descarte o líquido.
3. Derreta a manteiga numa panela, acrescente o curry e deixe dourar por alguns minutos.
4. Adicione a cebola e o alho-poró, dourando-os por alguns minutos. Acrescente a farinha de trigo e misture bem. Adicione o líquido do cozimento das almôndegas aos poucos, mexendo até engrossar. Acrescente o creme de leite e as almôndegas e ferva por cerca de 12 minutos.

GLØGG
[GLÊG]

VINHO QUENTE

Dezembro nunca está completo sem o tradicional *gløgg*. Os dinamarqueses se encontram em bares ou convidam amigos e parentes para comemorar o Natal com este vinho quente e aromático.

Para a essência do *gløgg*:
- 4 punhados de uvas-passas
- 300 ml de vinho do Porto
- 1 garrafa de vinho tinto encorpado
- 250 g de açúcar mascavo (de preferência um que misture cristais de açúcar com melado, mas o açúcar mascavo comum também pode ser usado)
- 20 g de canela em pau
- 20 g de pimentas-da--jamaica (inteiras)
- 20 g de cravos-da-índia (inteiros)
- 10 g de cardamomos (inteiros)

Para o *gløgg*:
- 1,5 l de vinho tinto encorpado
- 200 ml de rum escuro
- 200 ml de aquavita (ou vodca)
- Casca de 1 laranja
- 200 ml de suco de laranja fresco
- 100 g de amêndoas picadas

1. No dia anterior, deixe as uvas-passas de molho no vinho do Porto, de preferência por 24 horas.
2. Numa panela, acrescente a garrafa de vinho tinto, o açúcar mascavo, a canela, a pimenta-da-jamaica, o cravo e o cardamomo e aqueça até a mistura ficar prestes a ferver. Desligue o fogo e deixe esfriar, depois passe por um coador.
3. Acrescente mais 1,5 litro de vinho tinto, os destilados e a casca e o suco da laranja à essência do *gløgg*. Mais uma vez, esquente até a mistura estar prestes a ferver, então acrescente as amêndoas e o vinho do Porto com as uvas-passas.

SNOBRØD [SNÔBROĐ]*

PÃO TRANÇADO

É bem provável que você não encontre este prato num restaurante muito sofisticado, mas seu preparo é perfeito para o hygge e as crianças adoram.

---

* O Đ suave é um dos sons mais difíceis do dinamarquês. O mais próximo dele é o **th** inglês, mas com a língua um pouco mais estendida.

Serve 6 porções. O tempo de preparo é de 1 hora e 15 minutos (incluindo 1 hora para a massa descansar). O tempo de cozimento depende do fogo e da sua paciência, mas costuma levar 10 minutos.

- 1 colher de manteiga
- 250 ml de leite
- 1 colher (sopa) cheia de fermento em pó
- 2 colheres (chá) de açúcar
- 1 pitada de sal
- 400 g de farinha de trigo

---

1. Numa panela, derreta a manteiga, acrescente o leite e aqueça até ficar morno. Adicione o fermento e o dissolva.
2. Transfira a mistura para uma tigela grande e acrescente os outros ingredientes para preparar a massa, mas reserve um pouco da farinha de trigo. Sove bem a massa e a devolva para a tigela, cubra-a e deixe crescer por cerca de 1 hora num lugar quente.
3. Transfira a massa para uma superfície coberta por farinha de trigo e sove bem de novo. Acrescente o restante da farinha. Divida a massa em seis partes e role-as em tiras de mais ou menos 40 centímetros de comprimento, depois as envolva ao redor de palitos grossos.
4. Asse o pão sobre a brasa de uma fogueira, mas tome cuidado para não aproximá-lo demais do fogo. O pão estará pronto quando você bater nele e escutar um som oco, ou quando se soltar com facilidade do palito.

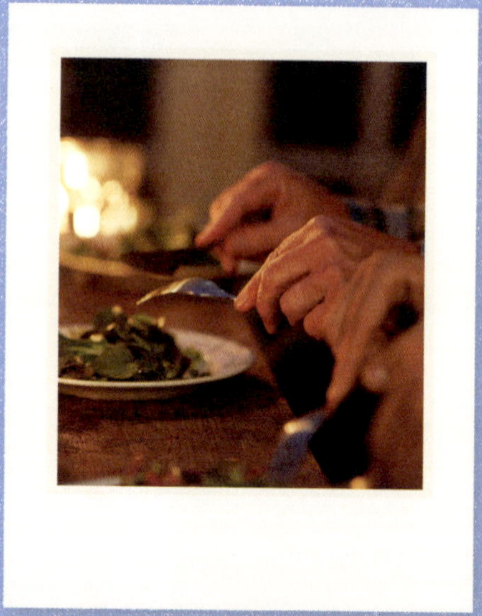

DICA DE HYGGE: CRIE UM CLUBE DA COMIDA

Alguns anos atrás, eu queria criar algum tipo de compromisso que me permitisse encontrar amigos próximos com regularidade, então criamos um clube da comida. Em parte, a ideia foi impulsionada pelo meu trabalho, já que a importância dos relacionamentos sempre é um dos principais indicadores de felicidade. Além disso, eu queria organizar o clube da comida de modo a maximizar o hygge. Então, em vez de alternarmos os anfitriões e cozinharmos para mais cinco ou seis pessoas, sempre preparamos a comida juntos. É aí que está o hygge. As regras são simples. Sempre escolhemos um tema ou um componente principal – por exemplo, pato ou salsichas – e cada pessoa leva ingredientes para preparar um aperitivo dentro do tema. Assim criamos um clima bem relaxado, informal e igualitário, sem que ninguém precise servir os convidados nem se preocupar em superar a sofisticação do último jantar.

Uma das noites mais hyggelige do clube da comida aconteceu quando tentamos fazer linguiças artesanais. Passamos três a quatro horas moendo a carne, recheando as tripas, cozinhando e grelhando as linguiças. Orgulhosos de nós mesmos, ficamos admirando aquela montanha de linguiças após finalmente nos sentarmos à mesa, por volta das dez da noite, famintos como vikings. O resultado: desastroso. Na primeira mordida, fiquei com a impressão de estar comendo mofo. Não é exatamente esse o sabor que se espera de uma linguiça. Naquela noite fomos dormir com fome – mas o encontro foi muito hyggelig.

CAPÍTULO 5

ROUPAS

O SEGREDO É SER CASUAL

Na Dinamarca, o segredo é ser casual. Os dinamarqueses costumam gostar da casualidade de um tom casual, uma atmosfera casual e um código de vestimenta informal.

É difícil encontrar um terno de três peças em Copenhague, e, se você fizer parte dos amantes dos uniformes corporativos com risca de giz, certamente achará que os dinamarqueses se vestem de forma quase desleixada. No entanto, com o tempo talvez você descubra que encontrar o meio-termo entre o estiloso e o casual é uma arte dinamarquesa. Para alcançar o visual despojado porém estiloso, muitas pessoas – inclusive eu – optam pela combinação de camisa ou suéter com um blazer por cima. Eu prefiro aqueles com detalhes de couro nos cotovelos, pelo fator hygge e para seguir um estilo professoral. Na verdade, talvez eu exagere nos blazers com detalhes em couro, porque meus amigos brincam que, se precisarem me encontrar num bar lotado, vão procurar primeiro meus cotovelos.

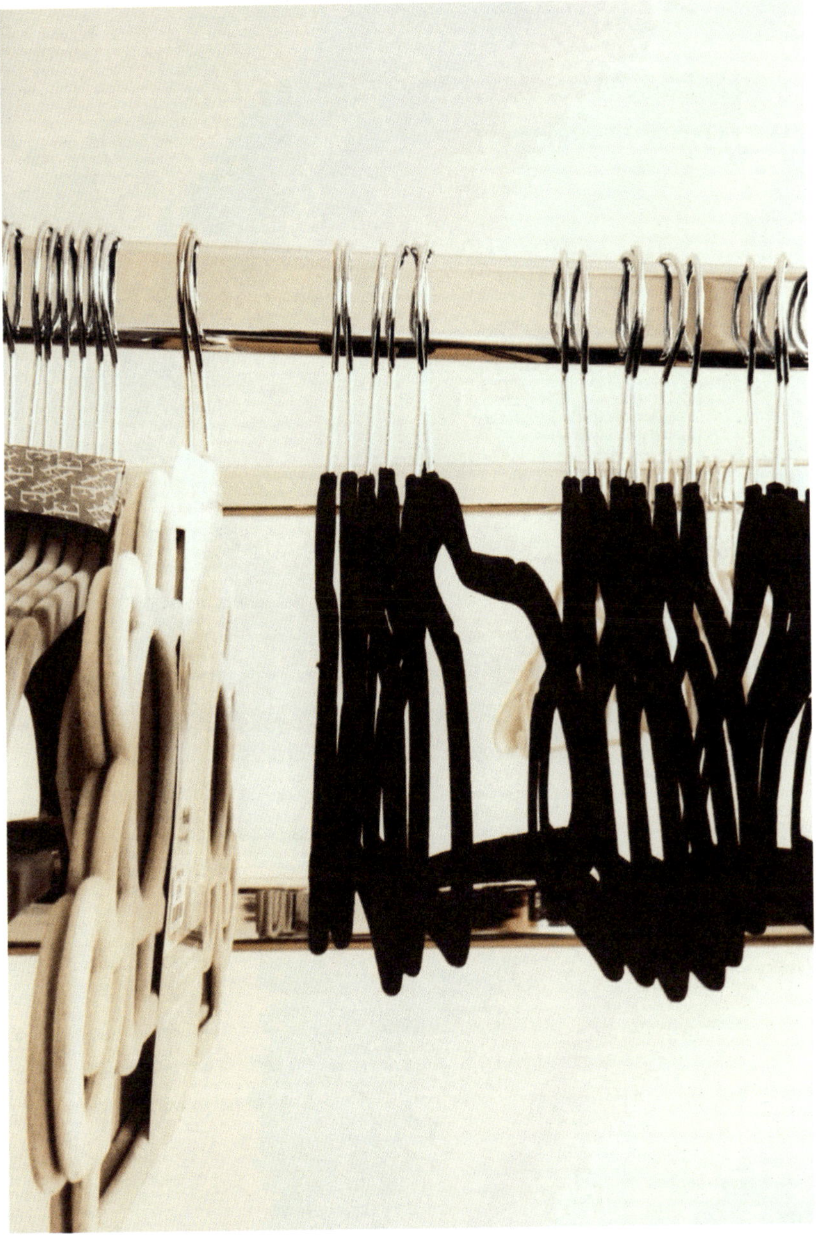

COMO SE VESTIR NO ESTILO DINAMARQUÊS

A moda dinamarquesa é sofisticada, minimalista e elegante, mas não excessivamente elaborada. Em muitos aspectos, ela é um meio-termo entre o hygge e um design funcional minimalista.

PRETO

Ao sair do aeroporto de Copenhague, é fácil acreditar que você entrou no set de um filme sobre ninjas. Na Dinamarca, todo mundo usa preto, então pense num look que teria sido adequado para o funeral de Karl Lagerfeld: estiloso, porém monocromático. No verão, podemos arriscar outras cores, até algo extremamente chamativo, como cinza.

VOLUME NA PARTE DE CIMA

Uma mistura de suéteres, blusões, cardigãs e pulôveres de lã tricotados à mão e legging preta para mulheres ou calça jeans skinny para homens oferece o equilíbrio entre hygge e estilo. Tricôs podem ser volumosos, mas nunca desleixados – e não se esqueça do cachecol.

CAMADAS

O segredo para sobreviver a quatro estações em um único dia são as camadas. Sempre ande com um cardigã extra. O hygge não acontece quando estamos com frio.

CACHECÓIS

São obrigatórios. Isso vale para homens e mulheres. Apesar de seu uso ser predominante no inverno, pessoas que sofrem sintomas da crise de abstinência de cachecóis costumam ser observadas usando echarpes em pleno verão. A regra de ouro é a seguinte: quanto maior, melhor. Então se enrosque naquele cachecol grosso e estiloso, parando apenas quando estiver correndo o risco de machucar seu pescoço. Os dinamarqueses gostam tanto de cachecóis que alguns britânicos chamam o seriado *Borgen* de "Patrulha do Cachecol".

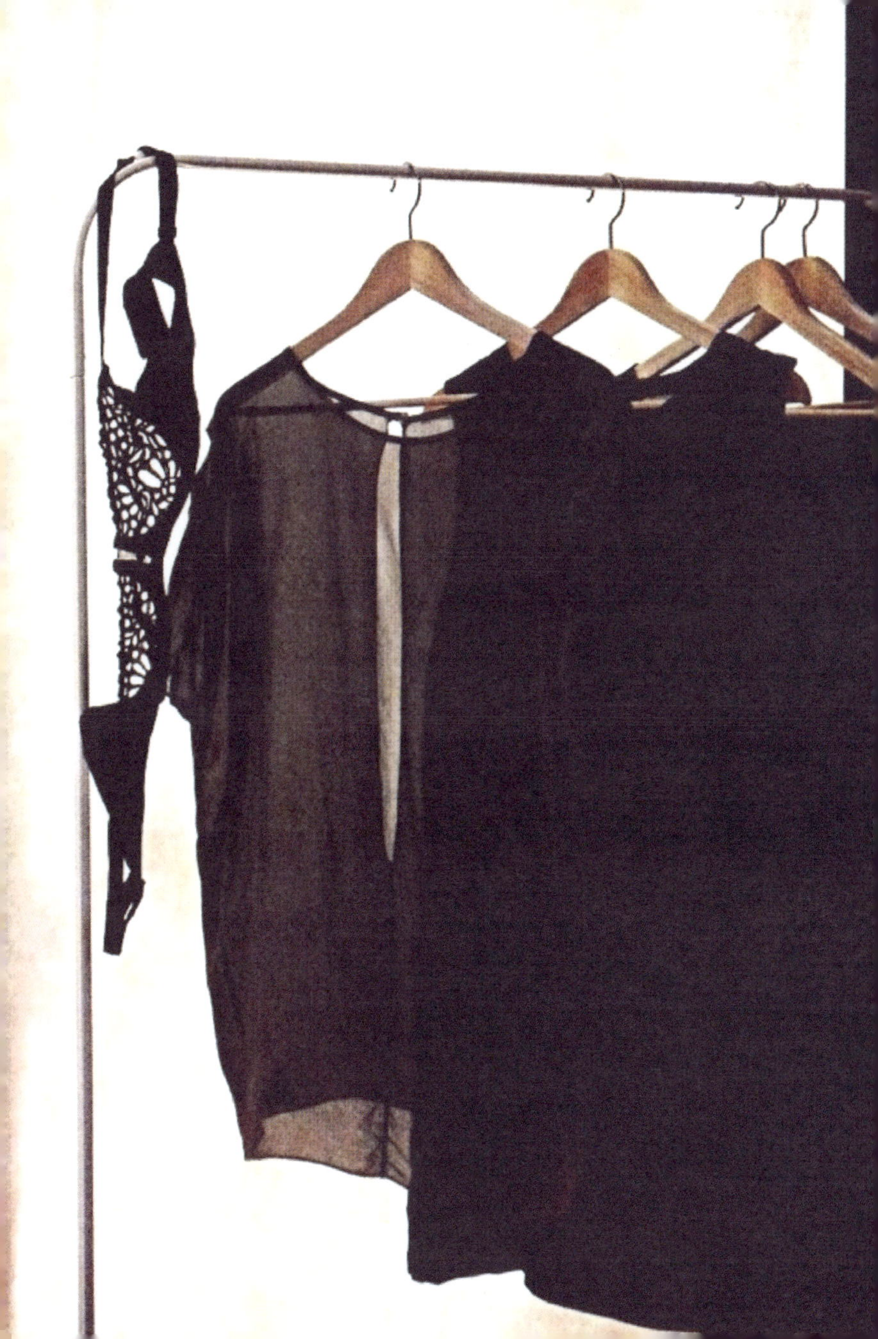

PENTEADOS CASUAIS
Os penteados dinamarqueses beiram a preguiça. É sair da cama e estar pronto. As mulheres costumam prender o cabelo num coque; quanto mais alto, melhor.

O TRICÔ SARAH LUND
Talvez o tricô mais icônico seja aquele que ganhou fama com Sarah Lund na série dinamarquesa *The Killing: História de um assassinato*. O *The Guardian* até publicou uma matéria chamada "*The Killing*: Explicando o tricô de Sarah Lund". O blusão se tornou tão popular que a empresa que o fabrica nas Ilhas Faroé não conseguiu atender a demanda.

Foi a atriz Sofie Gråbøl quem decidiu usá-lo. "Vi aquele suéter e pensei: É esse! Lund é uma personagem tão confiante… Ela não precisa usar blazer. Ela se aceita como é." O tricô também lembra a infância dela na década de 1970 e os pais hippies, que usavam suéteres parecidos. "Aquele suéter era um símbolo da crença na união."

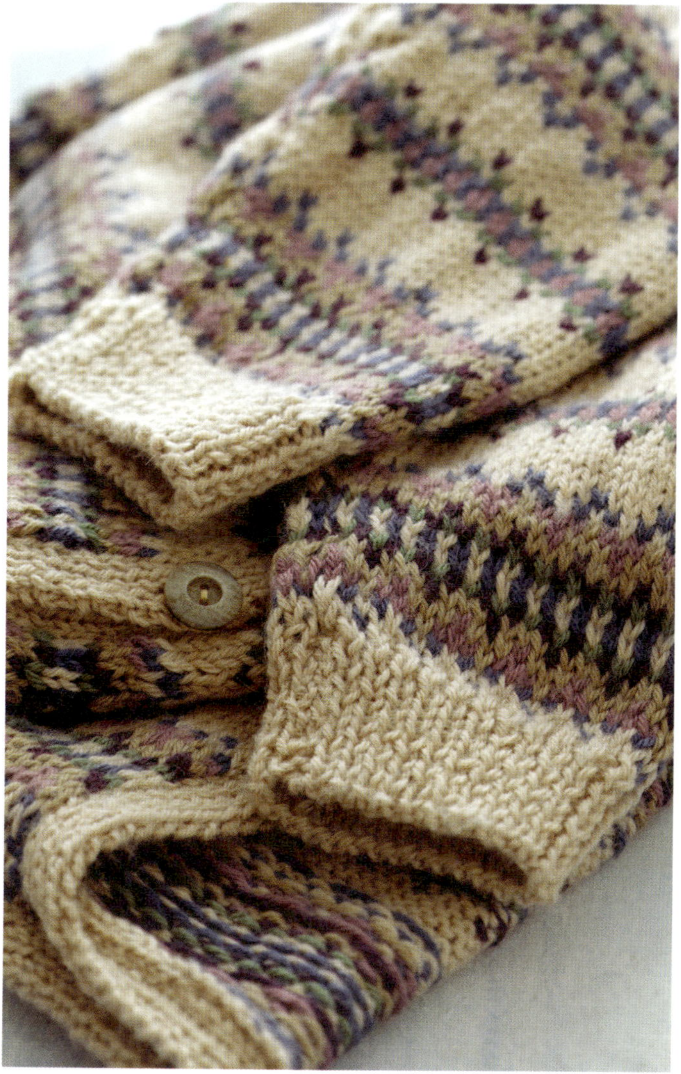

DICA DE HYGGE: COMO COMPRAR

Associe compras a boas experiências. Eu tinha juntado dinheiro para uma nova poltrona favorita, mas esperei a publicação do meu primeiro livro para comprá-la. Assim, a poltrona carrega a memória de uma conquista importante para mim. Podemos aplicar o mesmo princípio a um suéter especial ou a um par de boas meias de lã. Junte dinheiro para comprar essas peças, mas espere até ter uma experiência muito hyggelig: você quer se lembrar de um momento incrível quando usá-las.

CAPÍTULO 6

LAR

A SEDE DO HYGGE

Seriados dinamarqueses como Borgen, The Killing *e* The Bridge *às vezes são chamados por estrangeiros de "pornografia de mobília". A maioria das cenas é gravada em casas com decoração linda e apartamentos mobiliados com clássicos do design dinamarquês.*

E, sim, dinamarqueses adoram design, e entrar em muitos lares do país é como mergulhar nas páginas de uma revista de decoração.

O motivo para essa obsessão por design de interiores é que nossos lares são a sede do hygge. O lar é o centro da vida social na Dinamarca. Enquanto a vida social de outros países ocorre predominantemente em bares, restaurantes e cafeterias, os dinamarqueses preferem

Onde você mais vivencia o hygge?

71% Em casa   **29%** Na rua

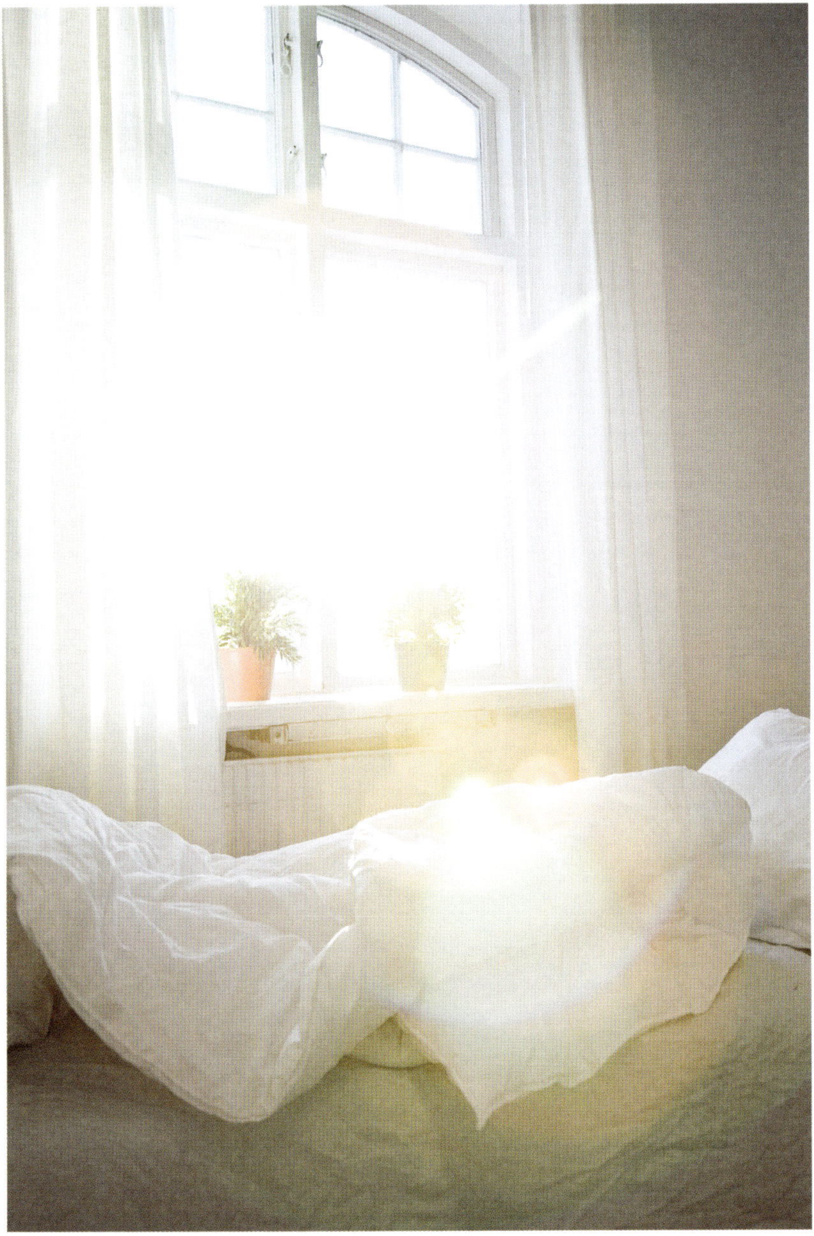

o *hjemmehygge* (hygge caseiro) – entre vários motivos, para fugir dos preços exorbitantes cobrados por restaurantes. Sete entre dez dinamarqueses afirmam que a própria casa é o lugar onde mais vivenciam o hygge.

Os dinamarqueses costumam dedicar muito esforço e dinheiro para tornar seus lares hyggelige. Afinal, eles têm mais espaço habitacional *per capita* do que todos os outros habitantes da Europa.

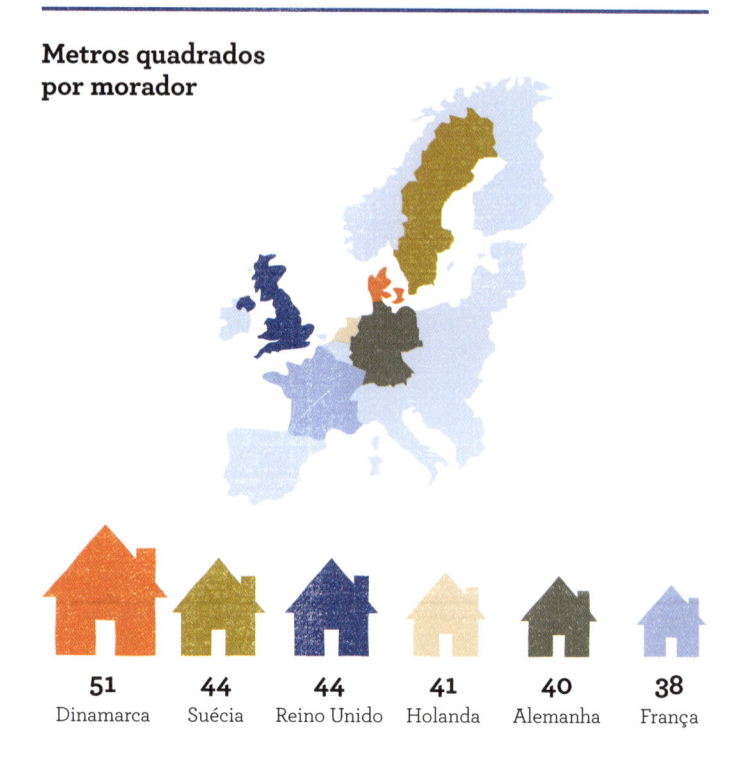

Metros quadrados por morador

51	**44**	**44**	**41**	**40**	**38**
Dinamarca	Suécia	Reino Unido	Holanda	Alemanha	França

Certo mês de dezembro, na época em que ainda era estudante, dediquei todo o meu tempo livre a vender pinheiros de Natal. Foi um inverno frio, mas trabalhar em meio às árvores me empolgava. Após passar o mês inteiro carregando, serrando, martelando, cortando e vendendo árvores, gastei todo o salário que recebi numa cadeira: a Shell, uma beldade criada em 1963 por Hans J. Wegner. A minha era de nogueira com couro marrom-escuro. Dois anos depois, roubaram meu apartamento. Levaram a cadeira. Nem preciso dizer a raiva que senti. Mas pelo menos os ladrões tinham bom gosto.

Talvez o melhor exemplo da obsessão dos dinamarqueses por design seja o caso que agora chamamos de Escândalo do Vaso Kähler, ou apenas Vasogate. O vaso Kähler era uma peça comemorativa que foi vendida em edição limitada no dia 25 de agosto de 2014. Mais de 16 mil dinamarqueses tentaram comprá-lo pela internet naquele dia – a maioria em vão, já que o vaso rapidamente esgotou. O site ficou fora do ar, e as pessoas seguiram para filas imensas diante das lojas que vendiam o vaso; sob muitos aspectos, os consumidores pareciam adolescentes brigando por um ingresso para o show do One Direction. A empresa que produziu a peça foi muito criticada pelo estoque limitado. Será que foi histeria demais por um vaso com pouco mais de 20 centímetros de altura e listras cor de cobre, apesar de ele estar presente na maioria dos lares dinamarqueses? Talvez, mas nós temos semanas de trabalho relativamente curtas, sistema de saúde e educação universitária gratuitos, além de cinco semanas de férias remuneradas por ano – não conseguir comprar o vaso foi a pior coisa da vida dessas pessoas em anos.

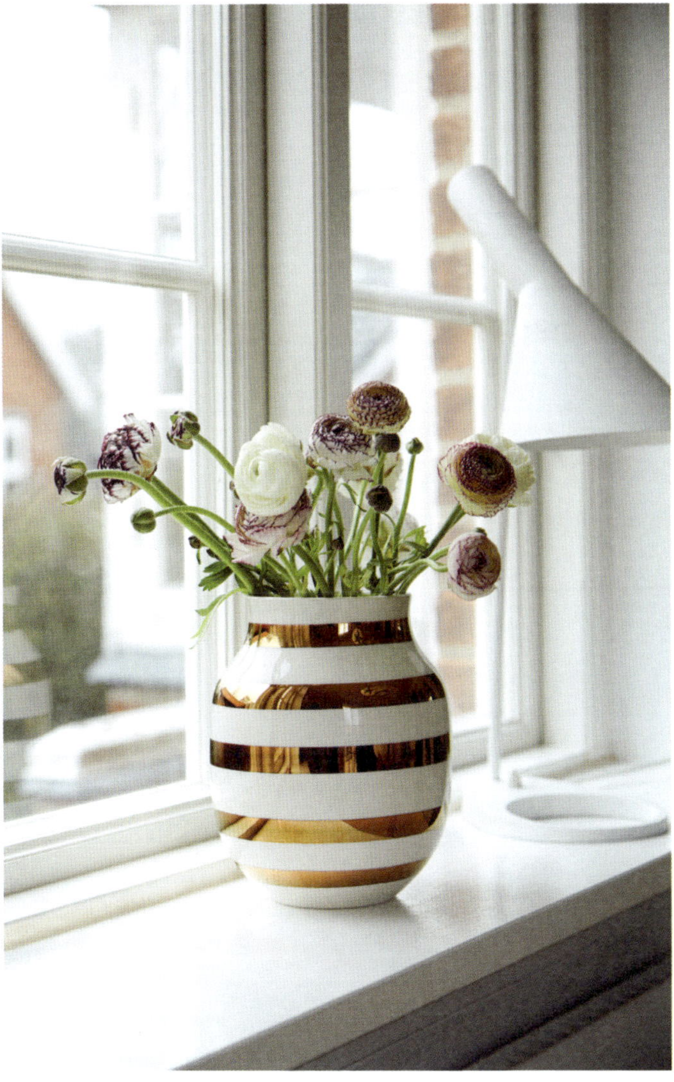

LISTA DE DESEJOS DO HYGGE
DEZ COISAS QUE TORNARÃO SEU LAR MAIS HYGGELIG

---

1. UM *HYGGEKROG*

Todo lar precisa de um *hyggekrog*, que pode ser traduzido como "um cantinho". Esse é o lugar para se aconchegar num cobertor, com um livro e uma xícara de chá. O meu fica na janela da cozinha, como já mencionei. Coloquei algumas almofadas, uma manta e uma pele de rena lá, e também me sento ali para trabalhar à noite. Na verdade, muitas destas páginas foram escritas nele.

Os dinamarqueses adoram um espaço confortável. Todos querem um *hyggekrog*, que pode ser visto em Copenhague e em todo o país. Ao caminhar pelas ruas da cidade, você perceberá que muitos prédios têm janelas salientes. No interior, é muito provável que elas estejam cheias de almofadas e cobertores, oferecendo aos moradores um espaço aconchegante para se sentar e relaxar após um dia cheio.

No entanto, o seu *hyggekrog* não precisa ser perto da janela, embora essa localização seja muito hyggeligt. Ele pode ficar em qualquer parte do cômodo – basta adicionar almofadas ou alguma coisa macia em que se sentar, ter uma iluminação suave, talvez um cobertor, e você terá seu próprio *hyggekrog*, onde poderá se distrair com um bom livro e algo para beber. Mobiliar um espaço de forma hyggeligt é importante na Dinamarca. Alguns corretores de imóveis até usam o *hyggekrog* como argumento para vender casas.

Se formos analisar o passado, nosso amor por espaços pequenos pode remeter à época em que vivíamos em cavernas e era importante prestar atenção nos arredores para proteger todo o grupo contra animais perigosos e outras ameaças. Viver em espaços pequenos era melhor, já que o calor gerado pelo corpo dos habitantes não se dissipava tão rápido quanto ocorreria em lugares maiores; além disso, espaços pequenos eram ótimos para se esconder de grandes predadores. Hoje, um dos motivos pelos quais gostamos de nos sentar num *hyggekrog* talvez seja a sensação de segurança; a vista para um cômodo ou para a rua nos oferece a vantagem de observar *qualquer* ameaça em potencial. O *hyggekrog* nos relaxa: nos sentimos no controle da situação e protegidos do imprevisível.

2. UMA LAREIRA

Fui uma criança sortuda. Minha casa de infância tinha uma lareira e um aquecedor a lenha. Quando eu era garoto, minha tarefa favorita era empilhar a lenha e acender o fogo. Aposto que eu não era o único. De acordo com o Ministério do Desenvolvimento da Dinamarca, há cerca de 750 mil lareiras e aquecedores a lenha no país. Com pouco mais de 2,5 milhões de habitações por todo o território nacional, isso significa que 3 entre 10 lares dinamarqueses levam vantagem no quesito hygge. Em comparação, cerca de 1 milhão de casas no Reino Unido têm um aquecedor a lenha instalado, mas, com um total de 28 milhões de residências britânicas, isso totaliza apenas 1 entre 28.

Lares com lareira ou aquecedor a lenha

30%
Dinamarca

3,5%
Reino Unido

Então por que os dinamarqueses são obcecados por queimar madeira? Talvez você já tenha adivinhado a resposta, mas não é possível que ela se resuma ao hygge. Bem, de acordo com um estudo conduzido pela Universidade de Aarhus, os dinamarqueses têm aquecedores a lenha porque eles são considerados uma opção barata para esquentar o lar, porém esse é apenas o segundo motivo principal. Mais uma vez, o hygge tem um peso maior. Dentre os participantes do estudo, 66% citaram especificamente o hygge como o motivo mais importante para ter um aquecedor a lenha. E, se você perguntar aos dinamarqueses, 70% concordarão que lareiras são hyggelige – um participante da pesquisa chegou a dizer que lareiras são a obra de arte utilitária mais hyggelig do mundo.

É justo dizer que a lareira pode ser a maior sede do hygge. É diante dela que nos sentamos para descansar e sentir aconchego e calor e é diante dela que passamos tempo com nossos entes queridos para intensificar nossa união.

3. VELAS

Se não há velas, não há hygge. Se isso for novidade para você, releia o Capítulo 1.

4. COISAS DE MADEIRA

Talvez estejamos presos demais às nossas origens, mas objetos de madeira são especiais. O cheiro da lenha queimando na lareira, ou até de um fósforo, a sensação de passar a mão pela madeira lisa de uma escrivaninha, o rangido suave de um piso de madeira enquanto você caminha para se sentar na cadeira de madeira diante da janela. Brinquedos infantis de madeira voltaram a ganhar popularidade, após anos de brinquedos de plástico. O macaco de madeira de Kay Bojesen é um exemplo excelente. A madeira nos dá a sensação de estarmos próximos da natureza; ela é simples e natural, assim como o conceito do hygge.

5. NATUREZA

Madeira não é suficiente. Os dinamarqueses sentem a necessidade de trazer a floresta inteira para dentro de casa. É bem provável que qualquer pedaço de natureza que você encontrar seja aprovado pelos critérios do hygge. Folhas, nozes, galhos, peles de animais... Em resumo, a linha de raciocínio é a seguinte: como um esquilo viking decoraria uma sala de estar? Não se esqueça de cobrir bancos, cadeiras e peitoris de janela com pele de ovelha como uma camada extra de hygge. Você pode alternar entre ovelha e rena, deixando o couro de vaca no chão. Com o amor dos dinamarqueses por velas, madeira e outros materiais inflamáveis, não é de admirar que Copenhague já tenha sido devastada por vários incêndios. Tome cuidado com o fogo.

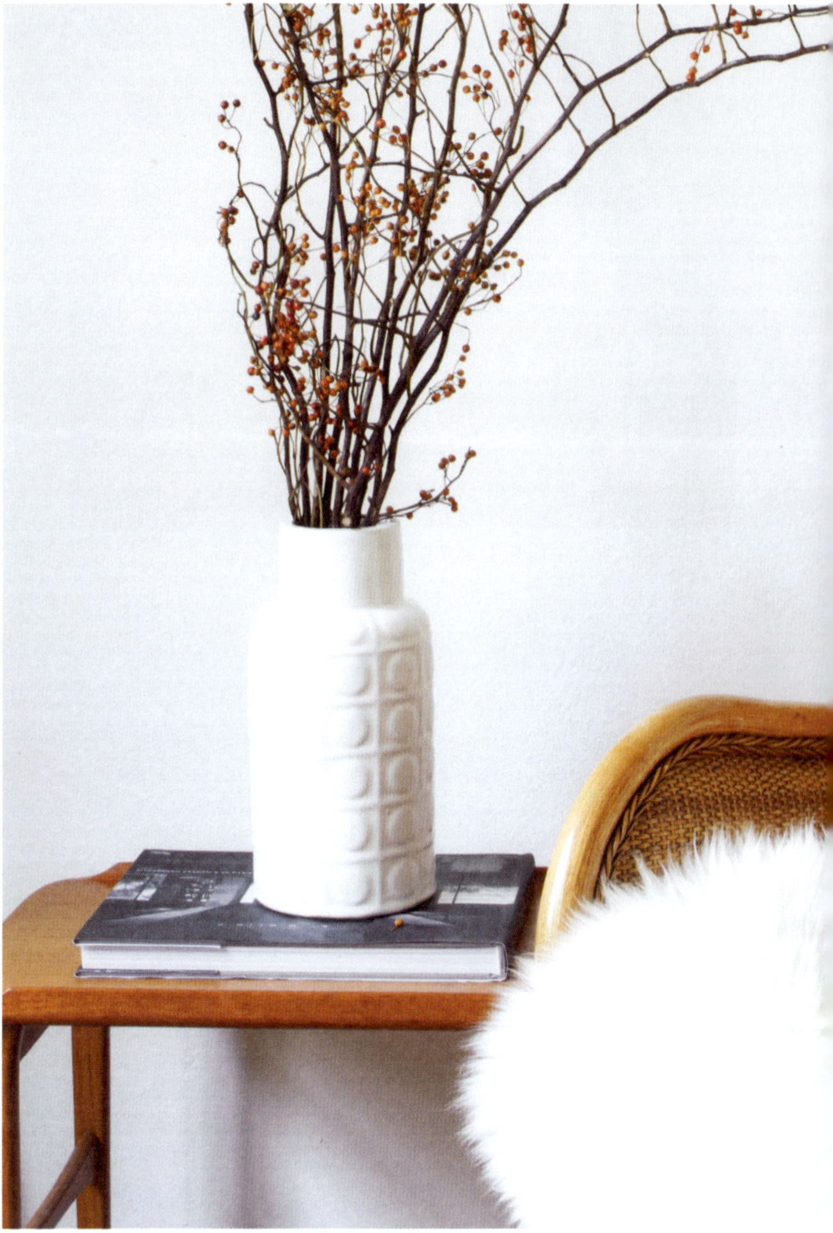

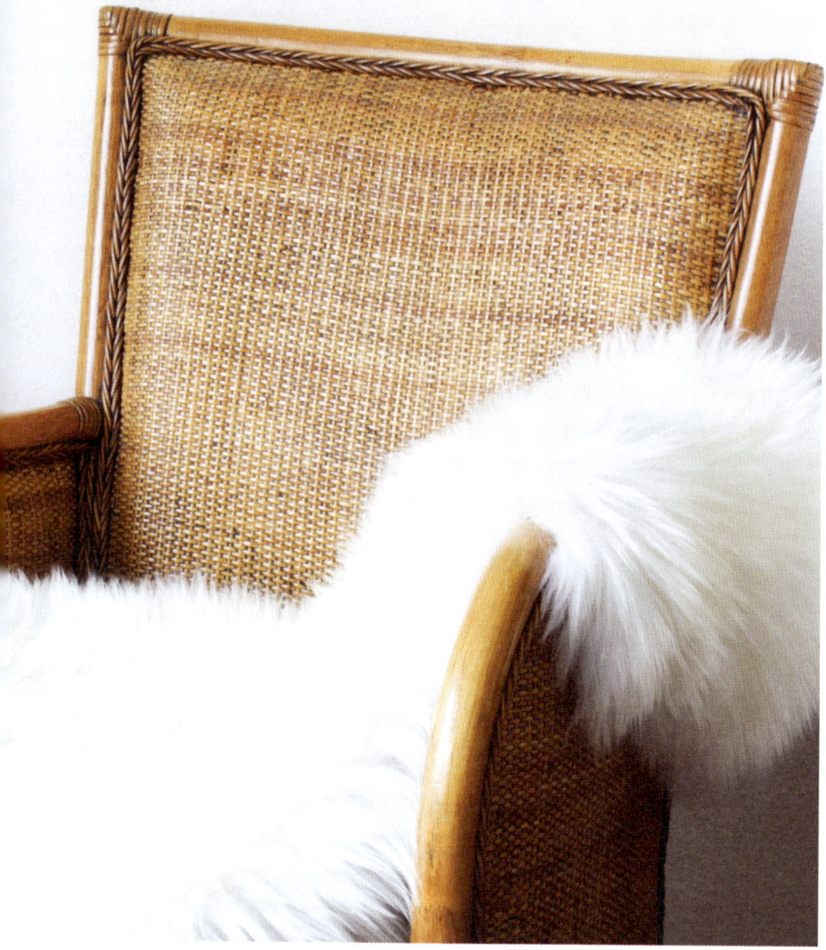

6. LIVROS

Quem não tem uma estante cheia de calhamaços? Fazer uma pausa com um bom livro num cantinho é a definição de hygge. Não interessa o gênero – romance, ficção científica, culinária ou até terror, todos são bem-vindos nas prateleiras. Todos os livros são hyggelige, porém os clássicos escritos por autores como Jane Austen, Charlotte Brontë, Liev Tolstói e Charles Dickens têm um espaço especial na estante. Quando tiverem a idade certa, talvez seus filhos também queiram se aconchegar ao seu lado no *hyggekrog* e pedir que você leia uma história. Mas talvez Tolstói seja demais nesse caso.

7. CERÂMICA

Um belo bule, um vaso sobre a mesa de jantar, aquela caneca favorita que você sempre usa – tudo isso é hyggelig. Duas das cerâmicas dinamarquesas mais famosas são fabricadas pela Kähler, que tem mais de 175 anos e causou uma ótima impressão na Exposição Universal de 1889 em Paris – o ano em que a Torre Eiffel foi inaugurada –, e, é claro, pela Royal Copenhagen, fundada em 1775 pela rainha Juliana Maria, que recuperou a popularidade nos últimos anos com a linha Blå Mega Riflet.

8. PENSAR EM TERMOS TÁTEIS

Como talvez você já tenha percebido, uma decoração hyggelig não envolve apenas a *aparência*, mas também a *sensação* das coisas. Passar os dedos numa mesa de madeira, numa xícara de cerâmica quente ou nos pelos de uma rena é uma sensação muito diferente de estar em contato com objetos feitos de aço, vidro ou plástico. Reflita sobre como é a sensação de tocar em algo e acrescente uma variedade de texturas ao seu lar.

9. VINTAGE

O aspecto vintage é muito importante nos lares dinamarqueses, e você consegue encontrar de tudo em antiquários. Muitas vezes o desafio é achar diamantes no meio de muito carvão. Luminárias, mesas e cadeiras antigas são muito hyggelige. É possível encontrar todos os elementos para criar um belo lar numa loja de produtos vintage, e o fato de que todas as coisas têm uma história as torna ainda mais interessantes e hyggelige.

Para muitos desses itens, as histórias e a nostalgia são fatores importantes. Objetos são mais do que suas propriedades físicas; eles contêm valor afetivo e um passado. Acho que meus móveis favoritos no meu apartamento são dois banquinhos para apoiar os pés. Eu os fiz com meu tio. Tenho certeza de que conseguiria encontrar bancos parecidos em Copenhague, mas nada teria o mesmo significado. Quando olho para eles, me lembro daquela tarde dez anos atrás, quando os entalhamos do tronco de uma nogueira centenária. Isso é hygge. Meus bancos permitem que você se sente confortavelmente com as pernas para cima, são feitos de madeira e têm um valor nostálgico – são essencialmente o Kinder Ovo do hygge.

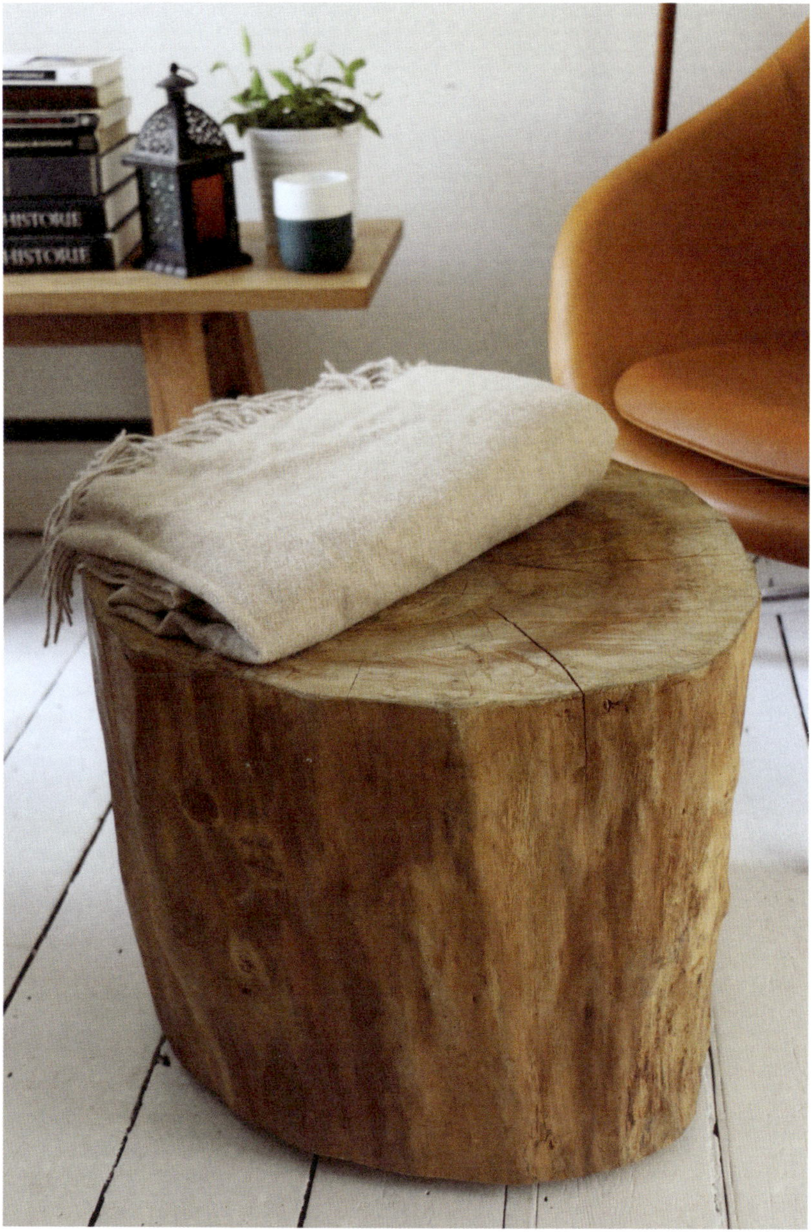
HISTORIE
HISTORIE

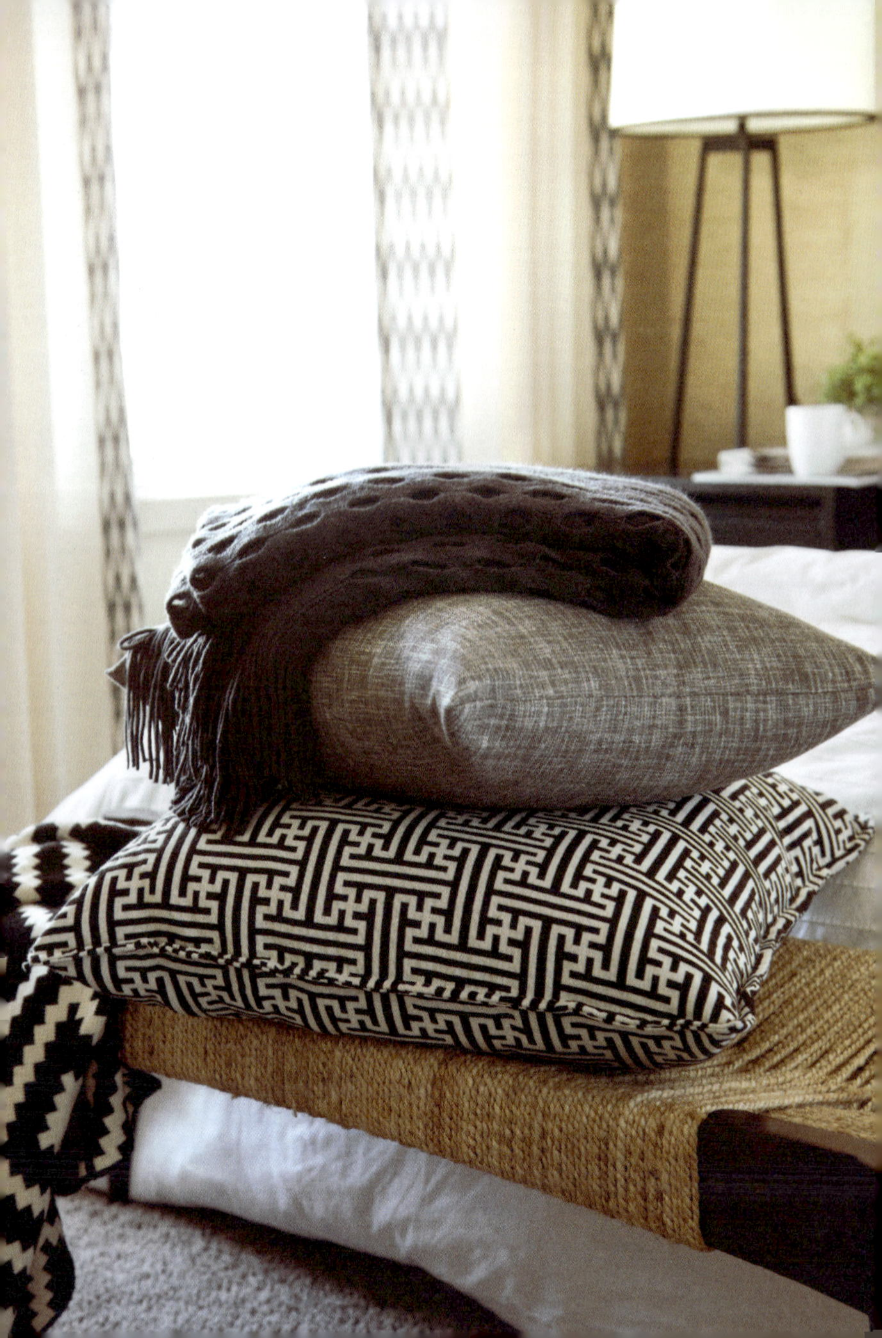

10. COBERTORES E ALMOFADAS

Ambos são itens essenciais ao hygge de qualquer lar, especialmente durante os meses frios de inverno. Aconchegar-se num cobertor é muito hyggeligt, e às vezes fazemos isso até quando não sentimos frio, apenas por ser aconchegante. Cobertores podem ser feitos de lã ou microfibra, que são mais quentes, ou algodão no caso de mantas mais leves.

Grandes ou pequenas, almofadas também são essenciais para o hygge. Existe algo melhor do que apoiar a cabeça numa boa almofada enquanto você lê seu livro favorito?

A esta altura, você pode ficar à vontade para bancar o freudiano com os dinamarqueses e argumentar que o hygge parece girar em torno de comidas reconfortantes e cobertores que passam a sensação de segurança. E talvez seja isso mesmo. O hygge se trata de dar uma folga para sua versão adulta responsável, estressada, que deseja crescer na vida. Relaxe. Só um pouquinho. A ideia é vivenciar a felicidade nos prazeres simples e saber que tudo ficará bem.

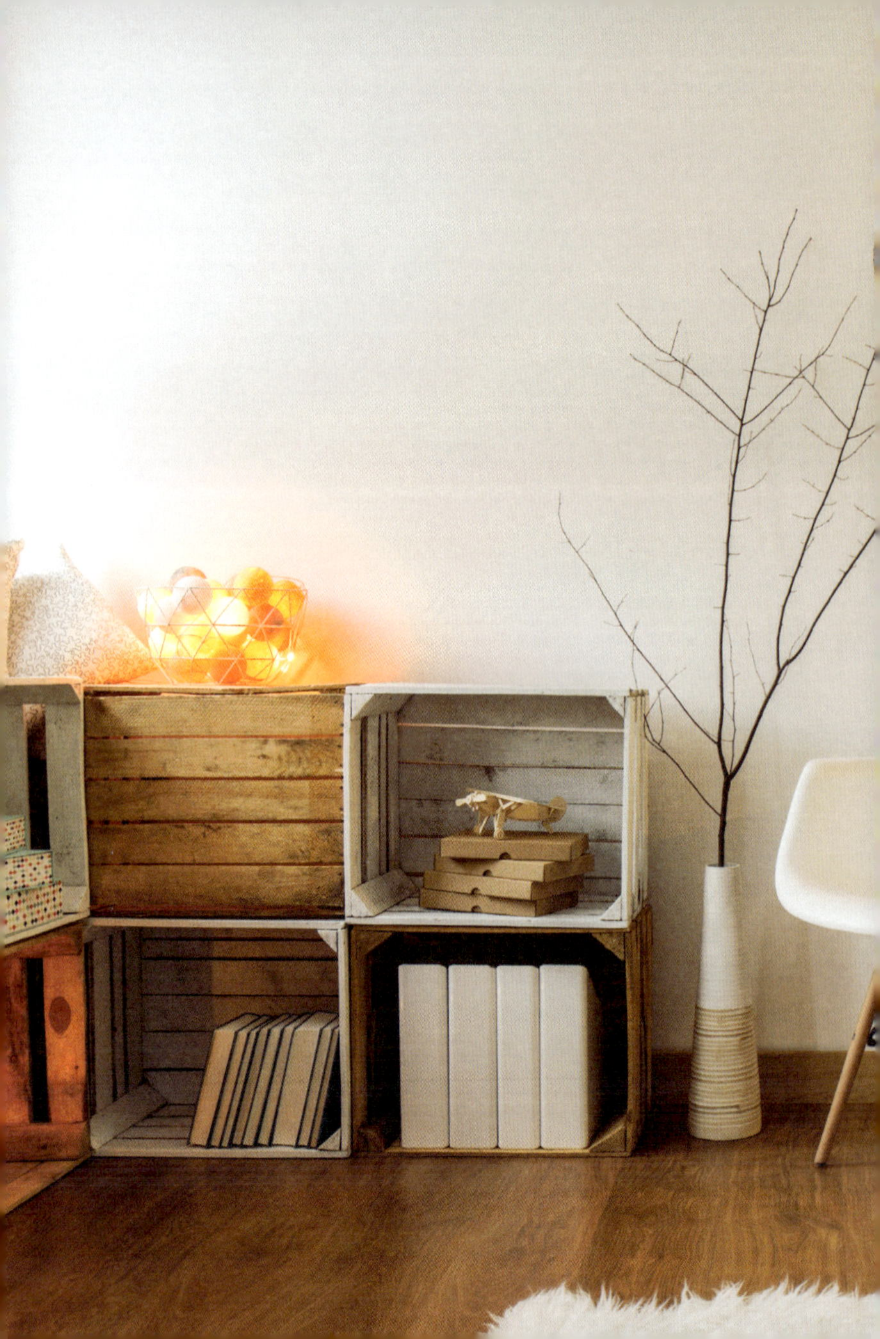

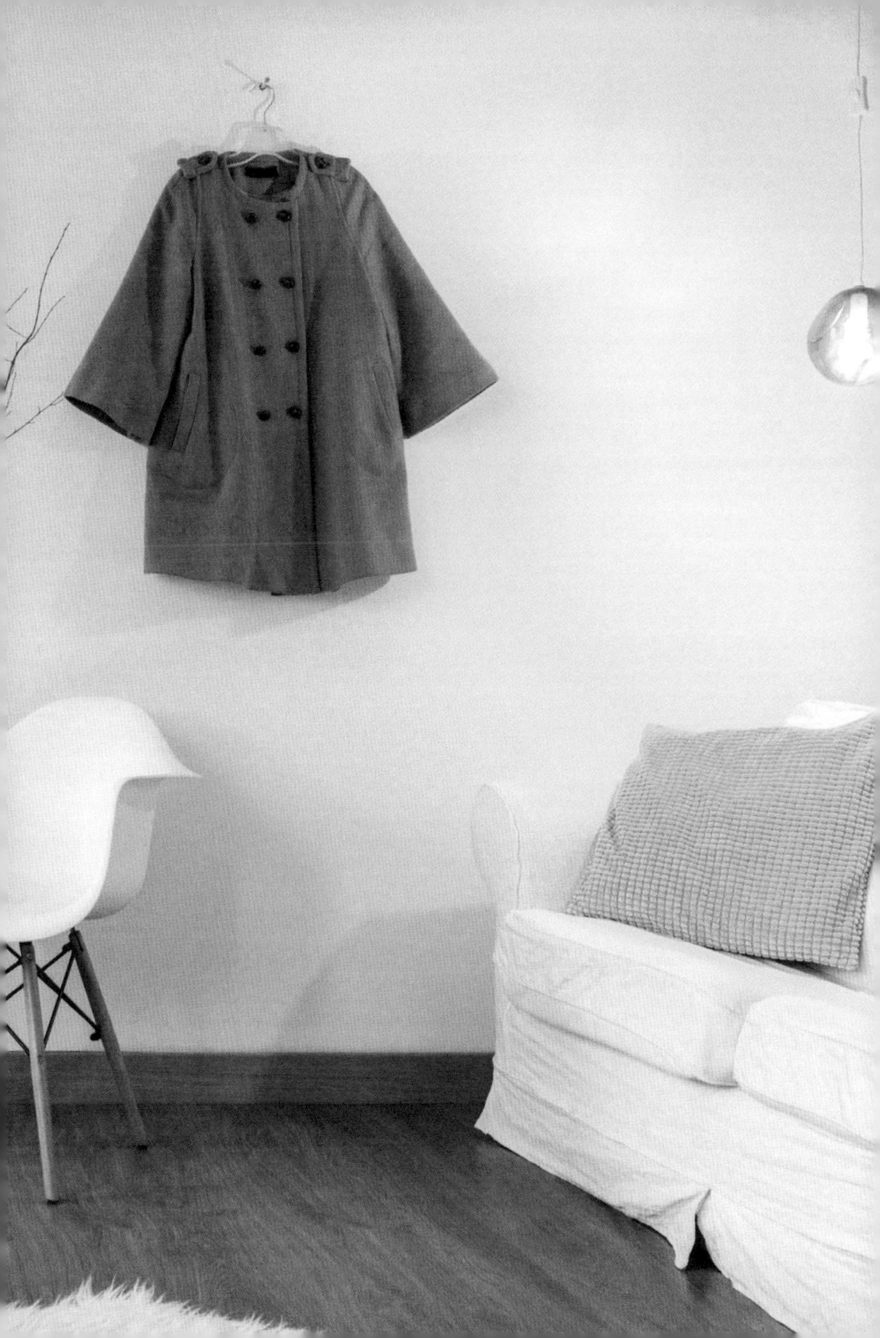

O KIT DE PRIMEIROS SOCORROS DO HYGGE

Talvez seja interessante montar um kit de primeiros socorros do hygge e deixá-lo guardado para as noites em que você se sentir sem energia, não tiver planos, não quiser sair de casa e estiver com vontade de passar um tempo sozinho.

Faça um estoque de elementos essenciais e guarde em um armário, uma caixa ou uma mala. A lista a seguir pode servir de inspiração, é claro, mas cabe a você decidir e descobrir o que é preciso para alcançar o hygge mais rápido.

1. VELAS

2. CHOCOLATE DE BOA QUALIDADE

Por que não visitar a chocolataria mais próxima e levar para casa uma caixa de bons chocolates? Eles não precisam ser caros, apenas uma guloseima para saborear de vez em quando. Se você for parecido comigo, faça um acordo consigo mesmo para comer apenas um por dia ou por semana – caso contrário, eles tendem a desaparecer num piscar de olhos. Ter esse ritual semanal ou diário faz com que você tenha um ponto alto pelo qual ansiar todos os dias.

3. SEU CHÁ FAVORITO
(Atualmente, o meu é chá de *rooibos*.)

4. SEU LIVRO FAVORITO
Que livro faz você se esquecer do mundo e desaparecer em suas páginas? Descubra e guarde-o no kit de primeiros socorros para essas noites de hygge. Se você tiver um emprego como o meu, em que precisa ler muita coisa e absorver rápido os argumentos principais, pode ter a tendência a ler correndo nos momentos em que finalmente se dedica à ficção. Ficamos tentados a espiar a última página dos livros sobre espiões de John le Carré: "Ah, olha só! Ele era um agente duplo." Lembre: esse é um tipo diferente de leitura. Leia devagar e observe o desenrolar da história. O meu livro predileto é *Adeus às armas*, de Ernest Hemingway.

5. SEU FILME OU SERIADO FAVORITO
O meu é *Matador*, seriado dinamarquês gravado há mais de quarenta anos, que mostra a vida numa cidadezinha da Dinamarca na época da Grande Depressão durante a

ocupação nazista no país. O seriado se tornou parte da autoanálise moderna dos dinamarqueses, e uma parcela considerável da população sabe pelo menos algumas falas de cor.

6. GELEIA
Você se lembra do dia em que fez a festa na despensa de casa? Foi uma ocasião hyggelig, não foi? Por que não colocar algumas das guloseimas que você preparou com seus parentes e amigos no seu kit de primeiros socorros?

7. UM BOM PAR DE MEIAS DE LÃ

8. UMA SELEÇÃO DAS SUAS CARTAS FAVORITAS
A palavra falada deixa de existir assim que nasce, mas a escrita nos permite ouvir palavras de séculos atrás ou as de entes queridos muito distantes de nós. Reler cartas antigas é uma forma hyggelig de relaxar, rememorar e se reconectar.

É muito mais hyggeligt ler uma carta no papel do que numa tela. Se você cresceu no século passado, como eu, terá cartas manuscritas muito bem guardadas, mas as escritas na era da internet também podem ser impressas e guardadas.

9. UM CASACO QUENTINHO DE TRICÔ

10. UM CADERNO

Deixe um bom caderno no seu kit de primeiros socorros. Podemos chamá-lo de diário do hygge. O primeiro exercício é anotar alguns dos momentos mais hyggelige que você vivenciou no último mês ou ano. Assim eles podem ser aproveitados de novo, mostrando quais foram os tipos de experiência que você mais amou. Para o segundo exercício, pense em experiências hyggelige que você gostaria de ter no futuro. É uma lista de pendências do hygge, por assim dizer.

11. UM BOM COBERTOR

12. PAPEL E CANETA

Foi legal e hyggelig ler aquelas cartas antigas, não foi? Por que não retribuir o favor? Tire um momento para escrever uma carta à mão. Pense numa pessoa que você gosta de ter na sua vida e escreva para ela explicando por quê.

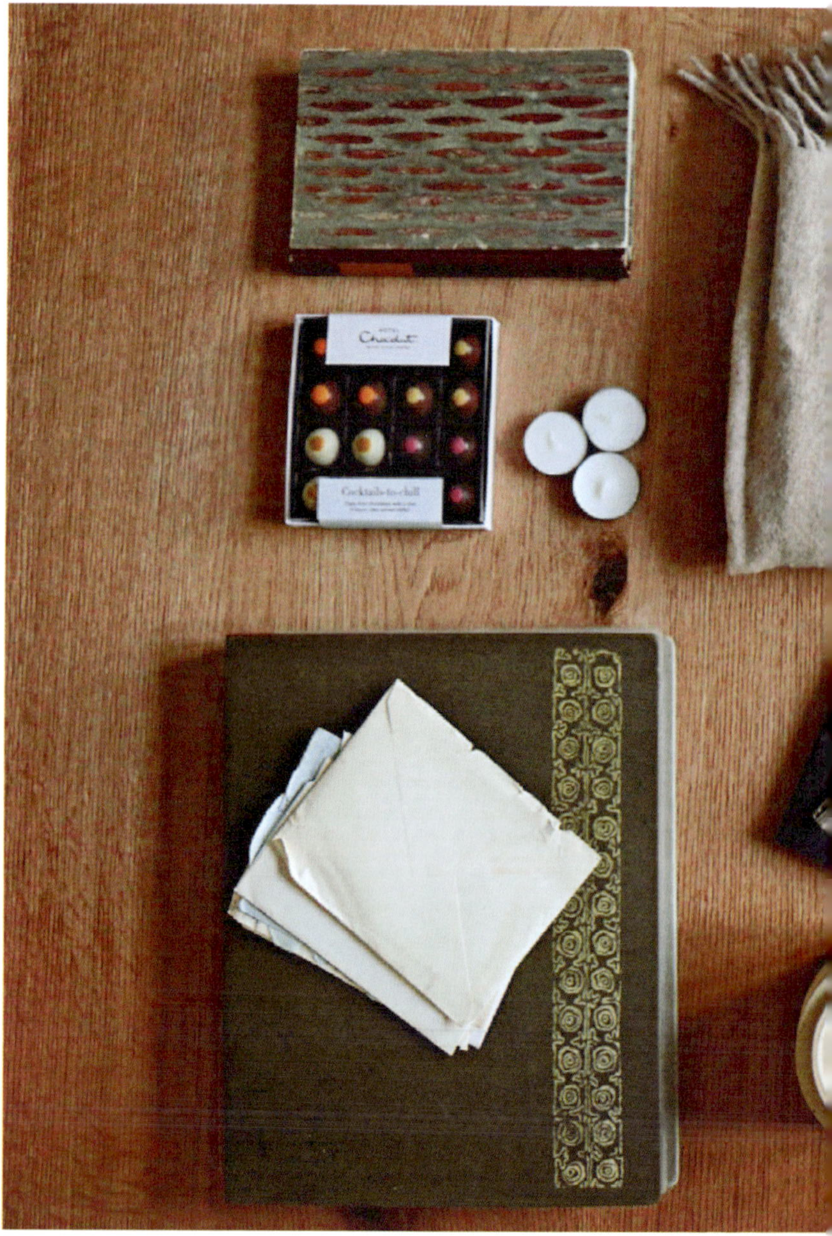
Cocktails-to-chill

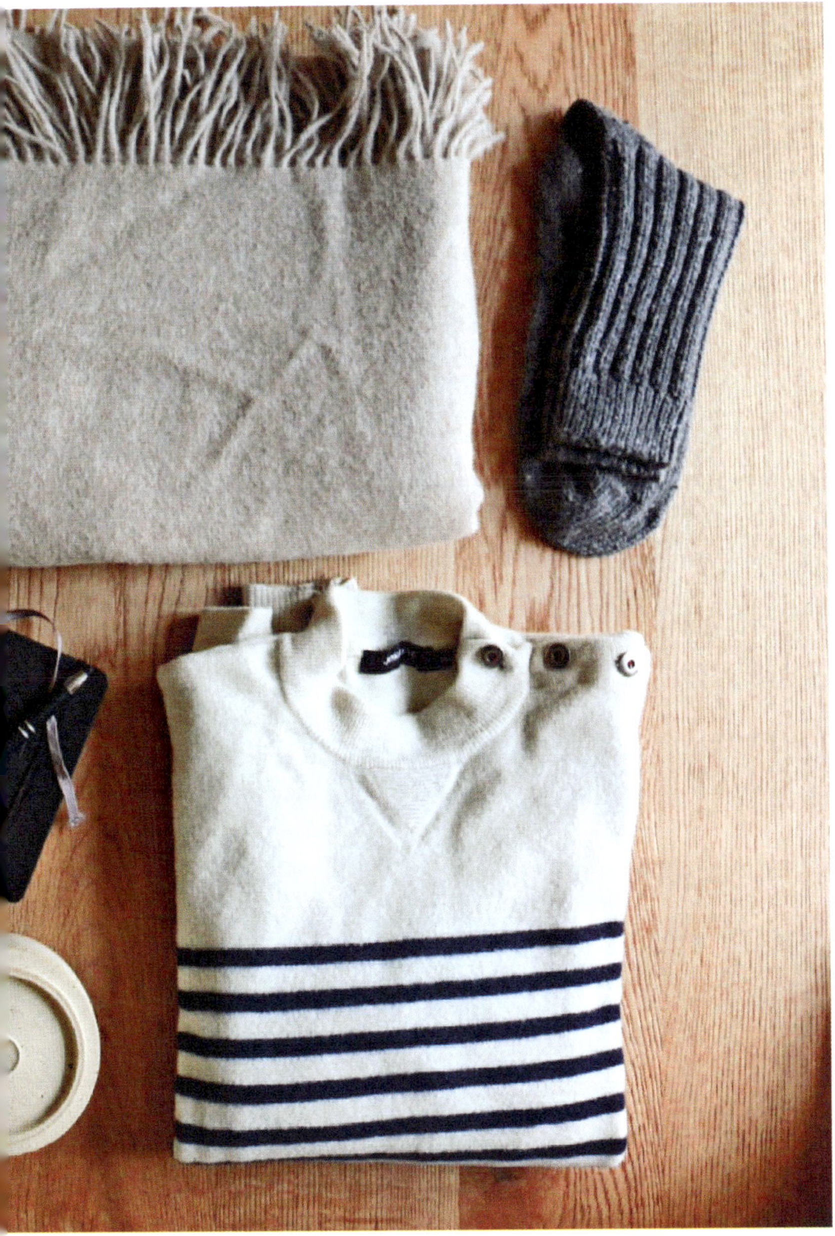

13. MÚSICA

Discos de vinil seriam considerados mais hyggelige do que meios digitais, mas serviços como o iTunes e o Spotify permitem que você crie uma playlist de hygge atualizada. Eu escolheria algo lento. Ultimamente tenho escutado muito Gregory Alan Isakov e Charles Bradley, mas a artista dinamarquesa Agnes Obel também é uma ótima pedida.

14. UM ÁLBUM DE FOTOS

Sabe todas aquelas fotos que você publicou no Facebook? Por que não selecionar cem favoritas e revelá-las? É muito mais hyggelig folhear um álbum de fotos impressas durante uma noite chuvosa com uma xícara de chá.

CAPÍTULO 7

O HYGGE FORA DE CASA

AO AR LIVRE

Apesar de a sede do hygge ser o lar, com certeza é possível encontrá-lo fora de casa. Na verdade, chalés, barcos e a natureza são lugares excelentes para vivenciar o hygge. Qualquer lugar, a qualquer momento, pode ser hyggelig, mas notei que momentos assim são criados por um ou mais dos seguintes motivadores.

MOTIVADORES DO HYGGE

Como cientista, meu trabalho costuma girar em torno de buscar padrões nas evidências. Assim, se observarmos diversos momentos hygge, também encontraremos alguns denominadores comuns. (Acho que já falamos o suficiente sobre comida e velas, então vamos deixá-los de lado por enquanto.)

COMPANHIA

O hygge pode acontecer quando você estiver sozinho. Aninhar-se embaixo das cobertas vendo sua série favorita numa tarde chuvosa de domingo é hyggelig; tomar uma taça de vinho enquanto uma tempestade cai lá fora também é hyggelig; assim como se sentar à janela e ficar vendo a vida passar.

Porém os momentos mais hyggelige parecem acontecer na companhia de outras pessoas. Algum tempo atrás, meu pai e seus dois irmãos completaram 200 anos de idade somada, então alugaram um grande chalé e convidaram a família toda para comemorar. O chalé era cercado de dunas e ficava numa paisagem árida, pedregosa, onde o vento sopra forte. Comemos, bebemos, conversamos e caminhamos pela praia. Acho que aquele foi o fim de semana mais hyggelig do meu ano inteiro.

CLIMA CASUAL

A maioria dos momentos hyggelige parece ter uma base casual. Para você e seus convidados alcançarem o hygge, precisam se sentir relaxados. Não há necessidade de criar um clima formal. Fique à vontade.

Em certo outono, quando eu tinha 20 e poucos anos, participei da colheita de uvas em Champanhe, na França. Dois anos atrás, numa visita à região com três amigos, decidimos parar no vinhedo Marquette, onde eu tinha trabalhado. Encontramos Glennie, a dona da casa, e seu filho, já adulto, e passamos uma tarde hyggelig no vinhedo e na cozinha rústica da casa interiorana, com seu teto baixo e suas lajotas, bebendo vinho ao redor de uma mesa comprida. O clima era tranquilo e casual. Apesar de fazer anos que eu não via Glennie e seu filho, não havia espaço para formalidades.

PROXIMIDADE COM A NATUREZA

Não importa se estamos sentados à beira de um rio, numa praia bonita ou mesmo no quintal de casa ou num parque próximo: estar cercado pela natureza ajuda a baixar a guarda e acrescenta certa simplicidade.

Quando estamos imersos na natureza, não somos dominados por aparelhos eletrônicos divertidos nem ficamos fazendo malabarismos com uma série de opções. Não há luxo nem extravagância, apenas boa companhia e boas conversas. Os elementos simples, vagarosos e rústicos são o caminho mais rápido para se chegar ao hygge.

Durante um verão, acampei com um grupo de amigos à beira do rio Nissan, na Suécia. Estávamos assando frango na fogueira, e a carne aos poucos se tornava dourada e apetitosa. Do fogo vinha o chiado das batatas envolvidas em papel-alumínio. Tínhamos remado de canoa por uma boa distância naquele dia, e a escuridão da noite caía. A fogueira iluminava as árvores ao redor do nosso acampamento com cores quentes, mas, apesar da luz do fogo, ainda conseguíamos enxergar as estrelas acima da copa das árvores. Enquanto esperávamos a comida cozinhar, bebemos uísque em nossas canecas de café. Estávamos em silêncio, cansados e felizes, e aquilo foi puro hygge.

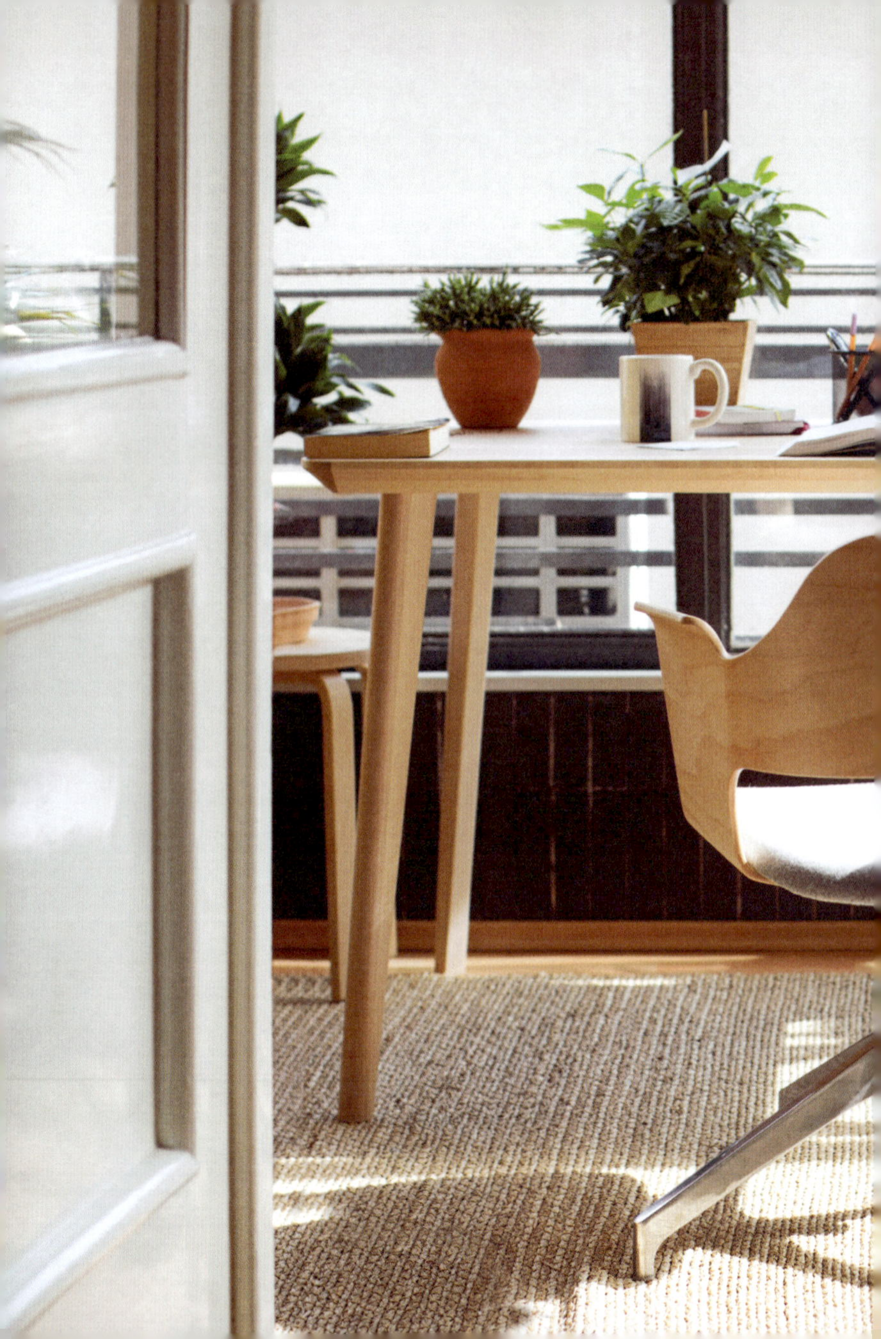

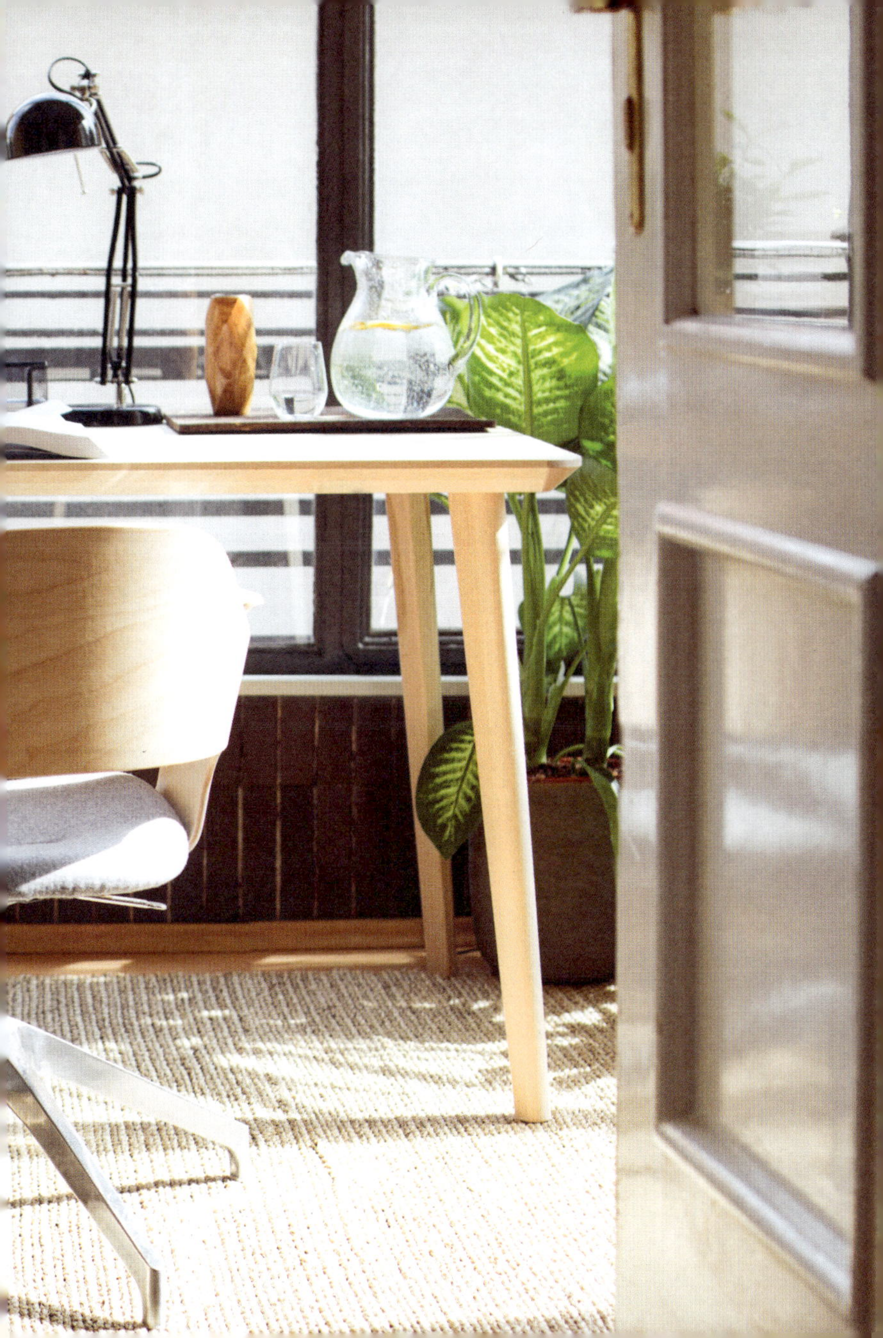

APROVEITAR O MOMENTO PRESENTE

O hygge traz a oportunidade de aproveitarmos o momento presente. Ele tem muito a ver com vivenciar e saborear o que está acontecendo agora.

Na viagem em que acampei com meus amigos, não havia nenhum outro lugar em que precisássemos estar. Estávamos desconectados da internet. Sem telefone. Sem e-mail. Cercados pela simplicidade, pela natureza e por boa companhia, capazes de relaxar por completo e aproveitar o momento.

Todo verão vou velejar com um dos meus melhores amigos e o pai dele. Há poucas coisas que acho tão prazerosas quanto estar à frente do leme, sob as velas brancas abertas e o céu azul, escutando a música que vem do convés lá embaixo. Os momentos mais hyggelige dessas viagens acontecem quando estamos ancorados nos vários portos que visitamos. Toda noite, após o jantar, nos sentamos juntos no convés e vemos o sol se pôr, escutando o vento bater nos navios no porto enquanto bebemos nosso café irlandês... Isso é hygge.

Talvez seja mais fácil criar momentos de hygge usando alguns dos elementos que mencionei anteriormente. Pode ser que você consiga acrescentar todos os ingredientes em algumas ocasiões. Para mim, isso acontece nos chalés de veraneio. De muitas formas, a vida nos chalés oferece todos esses elementos, e as minhas melhores lembranças da infância aconteceram no pequeno chalé de veraneio da minha família, a 10 quilômetros da capital, onde morávamos entre maio e setembro. Nessa época do ano, quando a noite não conhece escuridão, eu e meu irmão desfrutávamos dias infinitos de verão. Subíamos em árvores, pescávamos, jogávamos futebol, andávamos de bicicleta, explorávamos túneis, dormíamos em casas da árvore, nos escondíamos embaixo de barcos na praia, construíamos represas e fortes, brincávamos de arco e flecha e vasculhávamos a floresta em busca de frutas silvestres e tesouros nazistas escondidos.

O chalé tinha um terço do tamanho da nossa casa na capital, os móveis eram velhos e a televisão era em preto e branco, com uma tela de 14 polegadas e uma antena rebelde. Porém aquele era o lugar em que mais tínhamos hygge. De muitas formas, esses foram os momentos mais felizes e mais hyggelige. Acho que pode ter sido porque os chalés costumam incluir todos os motivadores do hygge: os aromas, os sons e a simplicidade. Neles sentimos uma conexão mais forte com a natureza e uns com os outros. Chalés nos obrigam a viver de forma mais simples e mais devagar. Eles nos obrigam a sair, a nos reunir, a aproveitar o momento presente.

O HYGGE DURANTE O TRABALHO

O hygge, no entanto, não se restringe a chalés aconchegantes, a cafés irlandeses no convés de um barco nem ao aconchego do seu hyggekrog em casa, diante da lareira. Os dinamarqueses acreditam que o hygge pode – e deve – acontecer no trabalho.

A primeira prova dessa teoria é, obviamente, o bolo mencionado no Capítulo 4. Além disso, de acordo com uma pesquisa sobre hygge conduzida pelo Instituto de Pesquisa da Felicidade, 78% dos dinamarqueses acreditam que o ambiente de trabalho também deveria ser hyggeligt.

Trabalhar deveria ser hyggeligt?

78%
Sim

13%
Não

9%
Não sei

DICA DE HYGGE: O HYGGE NO TRABALHO

Então como tornar o expediente mais hyggeligt? Com velas e bolo, obviamente. Mas esse é apenas o começo. Pense em maneiras de tornar o clima mais casual, aconchegante e igualitário. Que tal acrescentar alguns sofás para as pessoas usarem quando precisarem ler relatórios longos ou fazer uma reunião rápida e informal? Por causa do meu trabalho, dou muitas entrevistas, e prefiro me sentar no sofá com o jornalista para ter uma boa conversa em vez de ficarmos nos encarando em lados opostos de uma mesa chique num escritório frio.

CAPÍTULO 8

HYGGE O ANO INTEIRO

NÃO É APENAS NO FRIO

Há um ditado na Dinamarca que diz: "Não existe clima ruim, apenas roupas ruins." Só que, para ser sincero, não tenho muitos elogios a fazer ao clima na Dinamarca.

Algumas pessoas descrevem o clima dinamarquês como escuro, ventoso e úmido. Outras dizem que a Dinamarca tem dois invernos: um cinza e o outro verde.

Com um clima assim, não é de surpreender que os dinamarqueses passem boa parte dos meses de inverno trancados em casa.

No verão, a maioria de nós passa o máximo de tempo possível ao ar livre, torcendo desesperadamente para ver o sol, mas o período de novembro a março nos obriga a ficar dentro de casa. Já que os dinamarqueses não têm a oportunidade de se divertir com atividades invernais no próprio país, como acontece com os suecos e noruegueses, nem de passar tempo ao ar livre durante o inverno, como ocorre no sul da Europa, só nos resta aproveitar o hygge em casa. Como resultado, de acordo com um estudo sobre o hygge conduzido pelo Instituto de Pesquisa da Felicidade, a alta temporada do hygge ocorre durante o outono e o inverno.

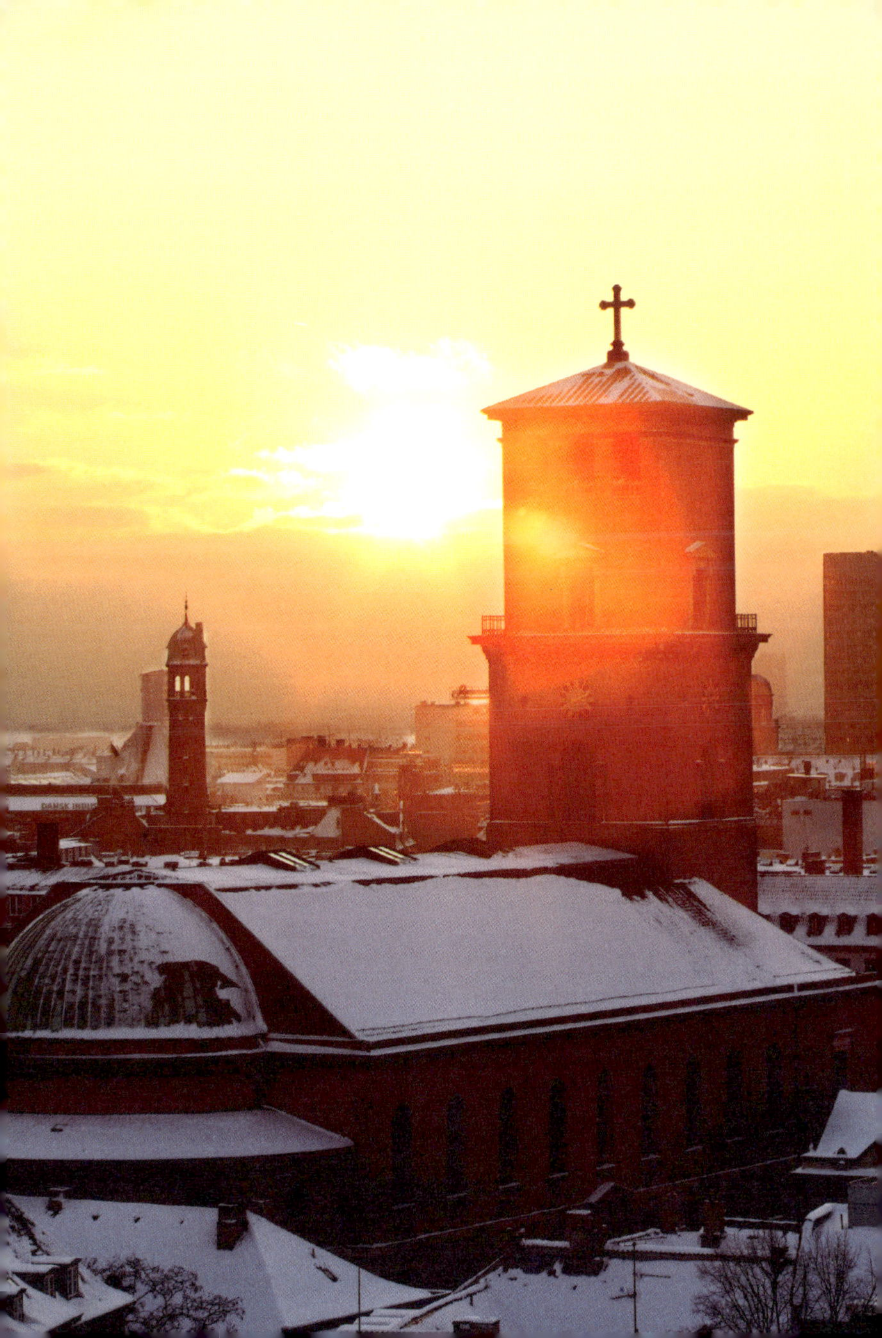

Algumas ideias sobre como ter hygge o ano todo para você que vive no hemisfério Sul.

JANEIRO: PIQUENIQUE

Verão é a época perfeita para sair e aproveitar a natureza. O clima está ameno e os dias, mais longos. É a época ideal para um piquenique na praia, no campo ou no parque. A escolha é sua, mas saia da cidade. Convide a família, os amigos, os vizinhos ou as pessoas que acabaram de se mudar para a sua rua ou seu prédio. Organize um lanche comunitário em que todo mundo leve um prato para compartilhar. Refeições comunitárias costumam ser mais hyggelige, porque são mais democráticas. A ideia é compartilhar a comida, a responsabilidade e as tarefas.

FEVEREIRO: TRILHAS E COMIDA PREPARADA NA FOGUEIRA

Fevereiro pode ser um mês fantástico para fazer trilhas, acampar ou praticar canoagem, pois o clima ainda está quente. Se você mora na cidade grande, como eu, é natural que entre em pânico no começo de uma trilha, pensando: "Que diabos vamos fazer no meio do mato sem Wi-Fi?" No entanto, depois que você superar essa fase, seus batimentos cardíacos e seu nível de estresse vão se amenizar. Fazer trilhas é uma fonte de hygge, já que elas são lentas, rústicas e promovem a união. Colete galhos, faça uma fogueira, prepare a comida e a observe assar lentamente sobre o fogo. Depois de comer, faça um brinde com seus amigos sob as estrelas.

MARÇO: COLHEITA DE FRUTAS

O fim do verão é a época de muitas frutas gostosas, como abacaxi, banana, tangerina e goiaba. Não existe sabor melhor que o da comida que você cultivou, pescou ou colheu por conta própria – e ela carrega um elevado fator hygge. Se você tiver espaço, cultive frutas, ervas ou verduras em casa.

Na Dinamarca, costumamos nos divertir colhendo cogumelos.

ABRIL: COMPETIÇÃO DE SOPAS

Com o calor mais ameno, é hora de tirar a poeira de velhas receitas de sopa e descobrir novas. Convide parentes e amigos para uma competição de sopas. Cada pessoa leva ingredientes diferentes para fazer uma porção individual. Preparem pratos pequenos de sopas diferentes, o suficiente para todos provarem. Geralmente faço uma sopa de abóbora com gengibre que fica ótima com um pouquinho de creme de leite. Se você quiser oferecer algo a mais como anfitrião, prepare um pão caseiro. O aroma de pão fresquinho com certeza é hygge. Não se esqueça de providenciar ovos de chocolate para as crianças caso esteja na época da Páscoa.

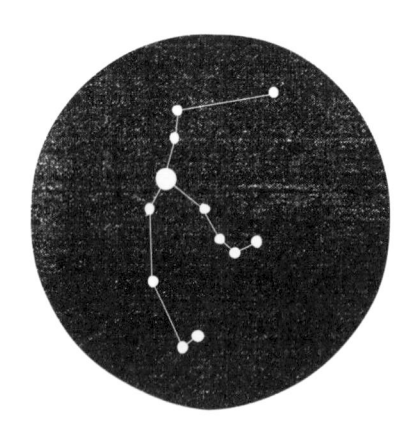

MAIO: CHUVA DE METEOROS ETA AQUÁRIDAS

Leve cobertores para passar a noite sob as estrelas. Apesar de as luzes noturnas dessa época não criarem as condições ideais para observar o céu, a chuva de meteoros Eta Aquáridas é um espetáculo que costuma chegar ao auge entre o fim de abril e o meio de maio. Para quem está no hemisfério Norte, uma opção é a chuva de meteoros Perseidas, que acontece em meados de agosto. Se você tiver filhos, esse é um ótimo momento para levar um livro sobre mitologia grega para ler enquanto vocês esperam as estrelas cadentes.

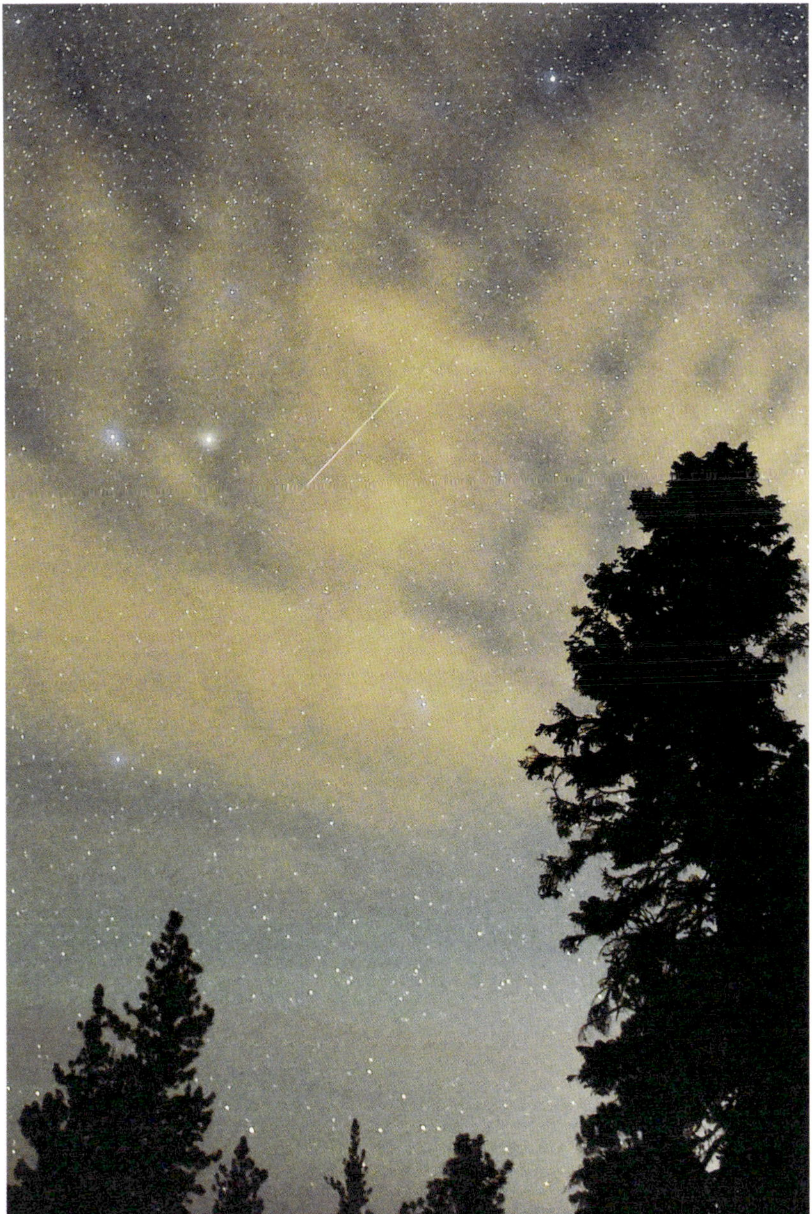

JUNHO: VELAS, DOCES E FOGUEIRA

Esse é o auge da temporada do hygge. O consumo de velas e doces dispara com a chegada do inverno, assim como os IMCs. Esse também é o momento ideal para tomar *gløgg* (veja a receita na página 94). Prepare tudo com antecedência, deixando as uvas-passas de molho no vinho do Porto, e convide seus amigos para uma tarde ou uma noite de *gløgg* e *æbleskiver* (receita na página 232).

Na Dinamarca, no entanto, junho é mês de calor, ou quase isso. Comemoramos o solstício de verão em 23 de junho, véspera do Dia de São João. Essa é a minha tradição favorita. O pôr do sol acontece por volta das 23 horas numa noite que nunca se desapega completamente da luz. Conforme o sol se põe, reina um reconhecimento meio triste de que começaremos a lenta volta para a escuridão a partir do dia seguinte. É o momento perfeito para um piquenique em volta da fogueira.

No hemisfério Sul, chame seus amigos e parentes para uma festa junina e acenda uma fogueira também. O solstício de inverno também merece ser comemorado – assim como o friozinho aconchegante que vem com ele.

JULHO: FRIOZINHO NAS MONTANHAS

Se tiver oportunidade, organize-se com seus amigos e parentes e vá para as montanhas nessa época do ano. Sim, a vista do alto é linda e a pureza do ar é fantástica – porém a melhor parte da viagem é o hygge. A magia acontece quando você e seu grupo se reúnem no chalé usando meias de lã e relaxam enquanto tomam um café em silêncio. Lembre-se de colocar o Grand Marnier na mala! Se houver neve e você puder esquiar, melhor ainda.

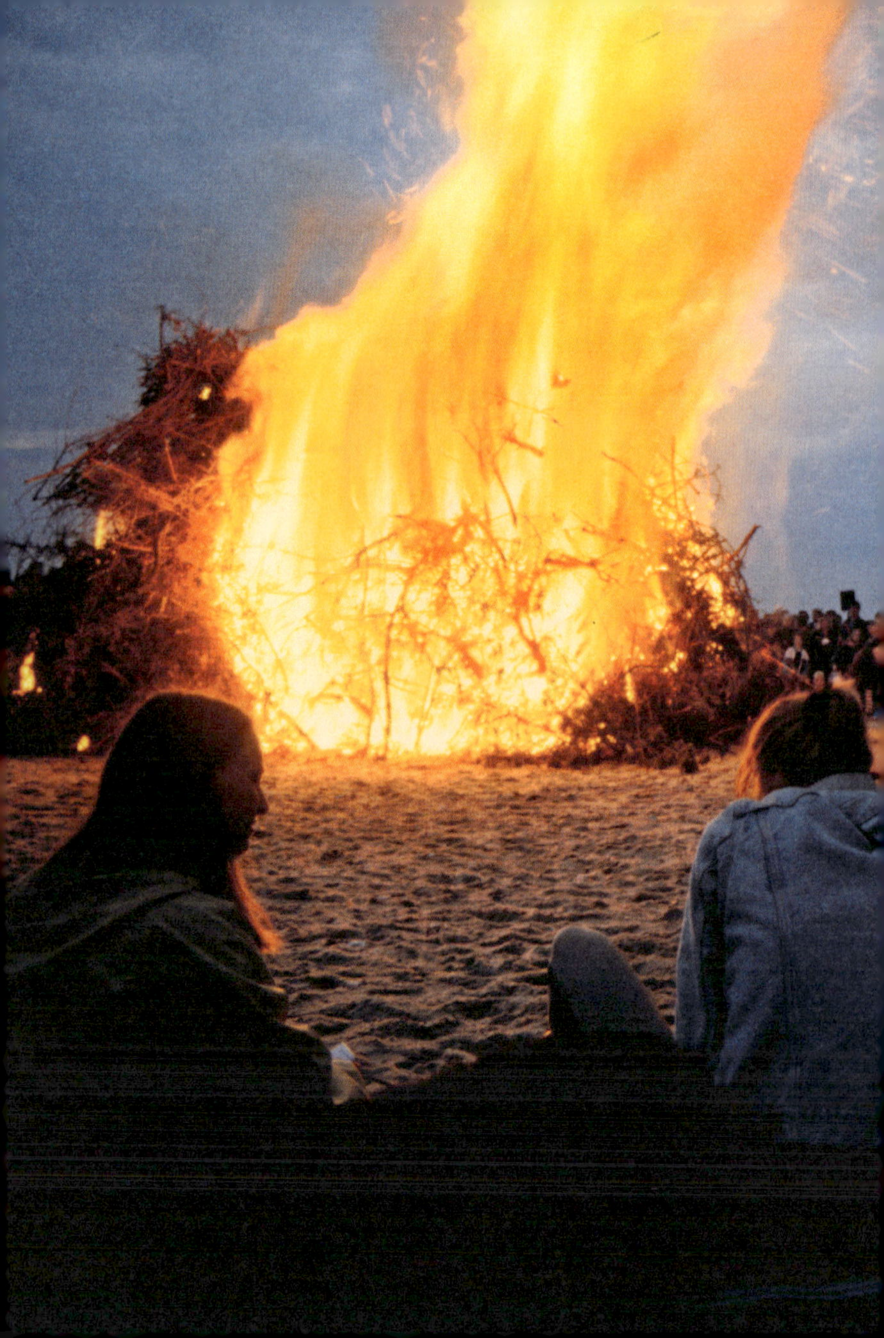

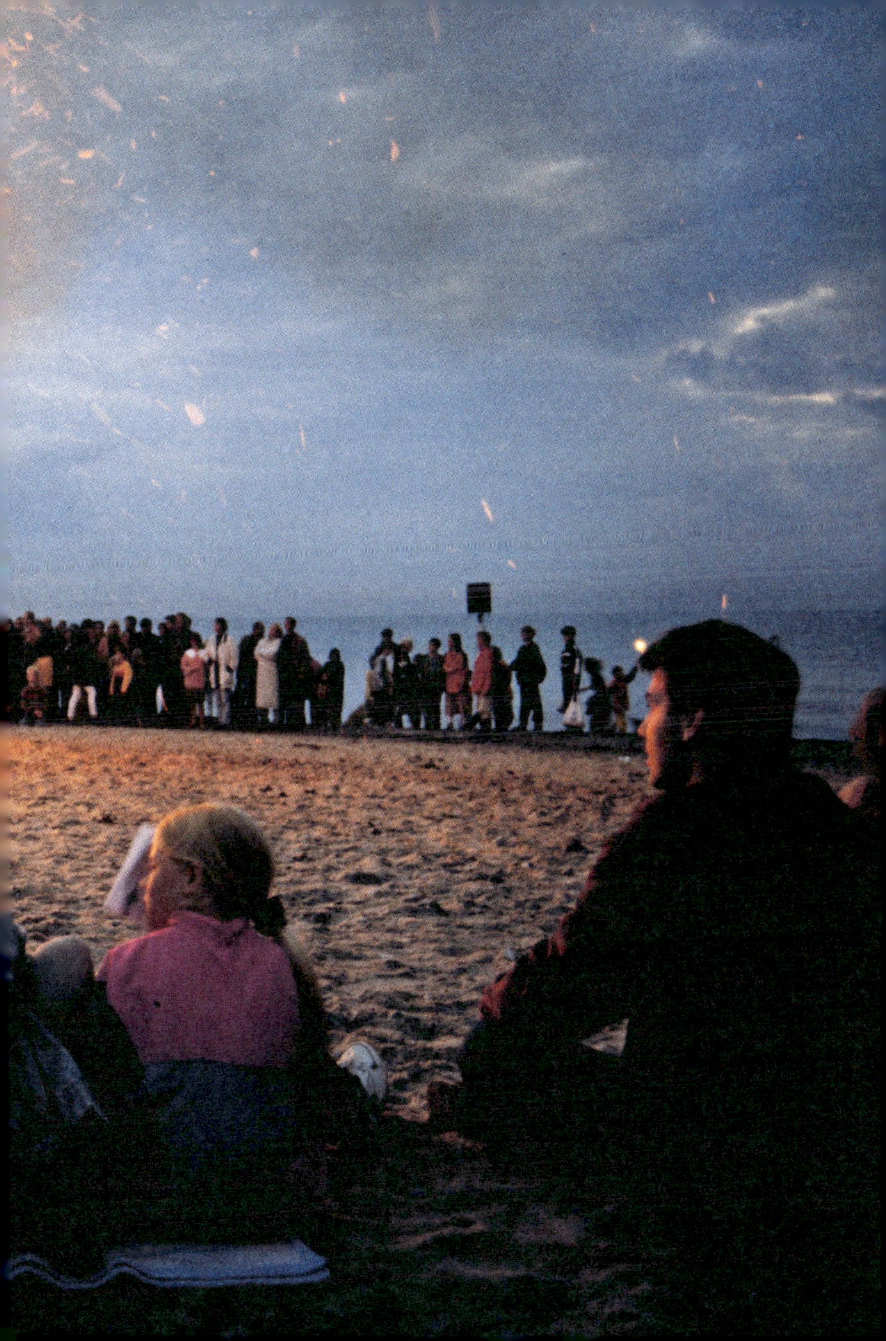

AGOSTO: NOITE DE CINEMA

O mês de agosto é o momento perfeito para relaxar com amigos e parentes durante uma noite de cinema tranquila. Peça a todo mundo que traga um lanche para dividir com os outros e escolha um clássico, um filme que todos já tenham visto, para que as pessoas possam conversar um pouco sem que isso atrapalhe ninguém.

Uma brincadeira divertida para acrescentar à noite de cinema é bolar a forma mais rápida de explicar o enredo de algum filme. Isso faz com que a trilogia de *O senhor dos anéis* se transforme em "Grupo passa nove horas tentando devolver uma joia" e *Forrest Gump* vire "Moça viciada em drogas se aproveita de rapaz com deficiência intelectual por décadas".

SETEMBRO: MÊS TEMÁTICO

Se você e a sua família forem sair de férias nos próximos meses, esta pode ser a maneira de adiantar o hygge. Se o plano for visitar a Espanha, por exemplo, dedique setembro a explorar o país de longe. Com "explorar", quero dizer assistir a filmes espanhóis, preparar *tapas* e, se você tiver filhos, talvez passar uma noite colando adesivos em cadeiras (*sillas*) ou janelas (*ventanas*) com as palavras em espanhol, para já ir se familiarizando com o idioma. Se você não for viajar tão cedo, o tema pode ser inspirado num país que já visitou (pegue aqueles álbuns de foto) ou escolha seu destino dos sonhos. Se não puder ir até o país, traga o país até você.

OUTUBRO: CASTANHAS

A temporada das castanhas começou. Na Dinamarca, as crianças adoram criar bonecos com elas.

Para os adultos, compre castanhas portuguesas, use uma faca para cortar uma cruz na extremidade pontuda delas e asse-as no forno a 200 graus por cerca de 30 minutos ou até a pele abrir e o interior ficar macio. Retire a casca dura e acrescente um pouco de manteiga e sal.

Se você só quiser ter um pouco de hygge sozinho, pegue umas frutas da estação, castanhas assadas e uma edição de *Paris é uma festa*, de Hemingway. O livro se passa em Paris na década de 1920, quando Hemingway vivia na cidade como um aspirante a escritor.

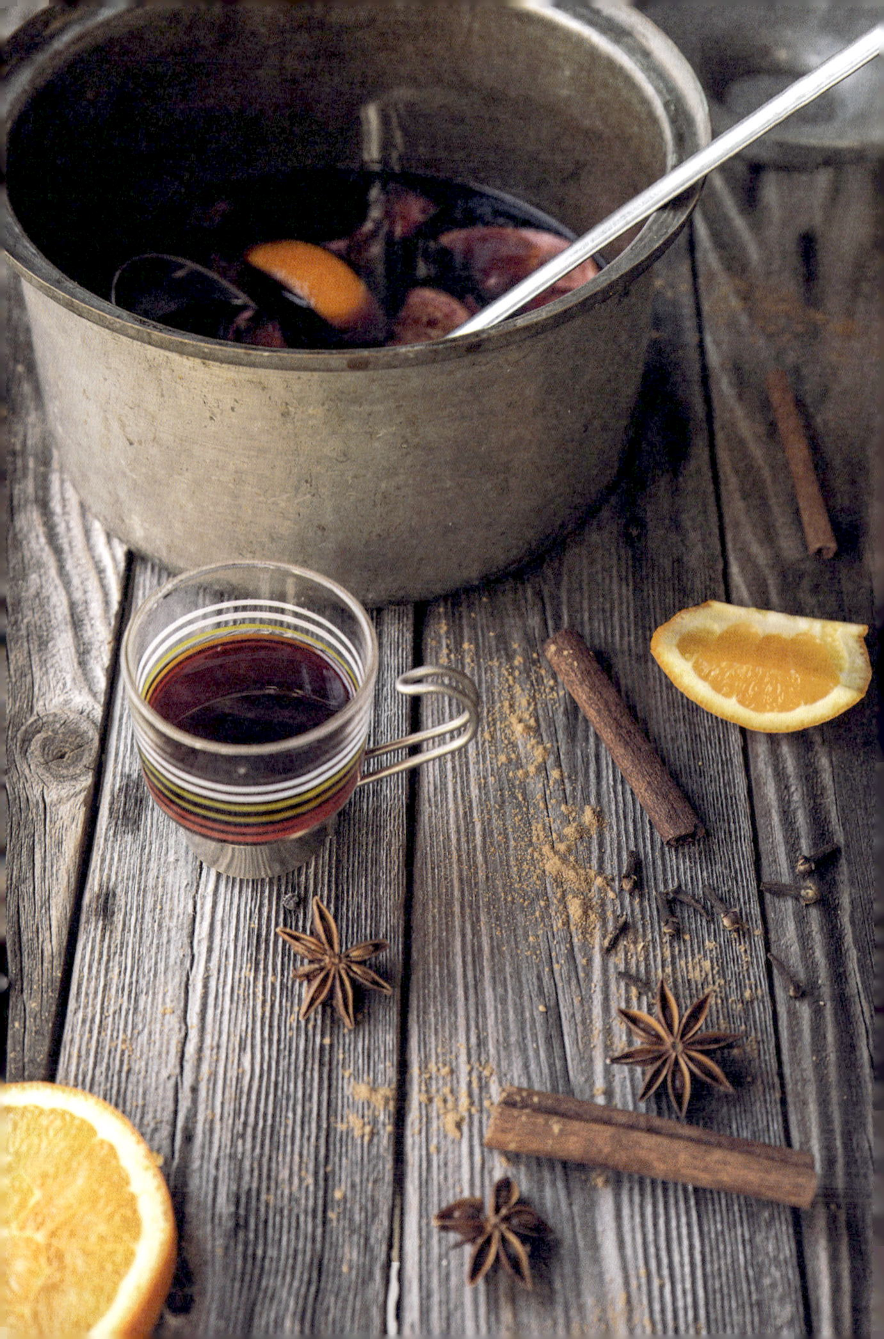

NOVEMBRO: FIM DE SEMANA NA CASA DE PRAIA

No hemisfério Sul, os dias começam a se tornar mais longos em novembro – esse é o momento de começar a aproveitar o litoral. Talvez um dos seus amigos tenha uma casa de praia ou você consiga um aluguel baratinho. Quanto mais rústica for a casa, mais hygge. Ter uma varanda com rede é um bônus. Lembre-se de levar jogos de tabuleiro para tardes chuvosas. Um fim de semana em novembro também pode pedir um churrasco. Em termos de hygge no calor, nada é melhor do que ficar vigiando a churrasqueira com uma cerveja na mão.

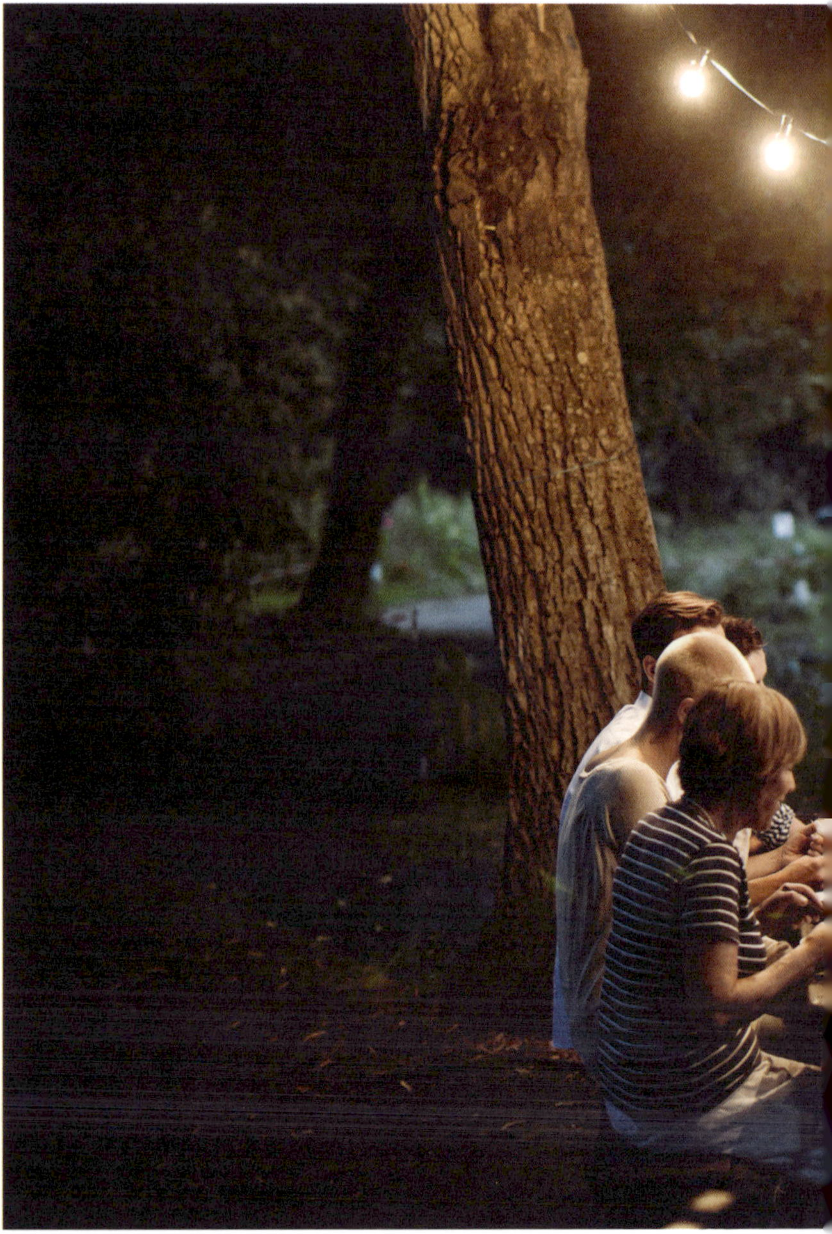

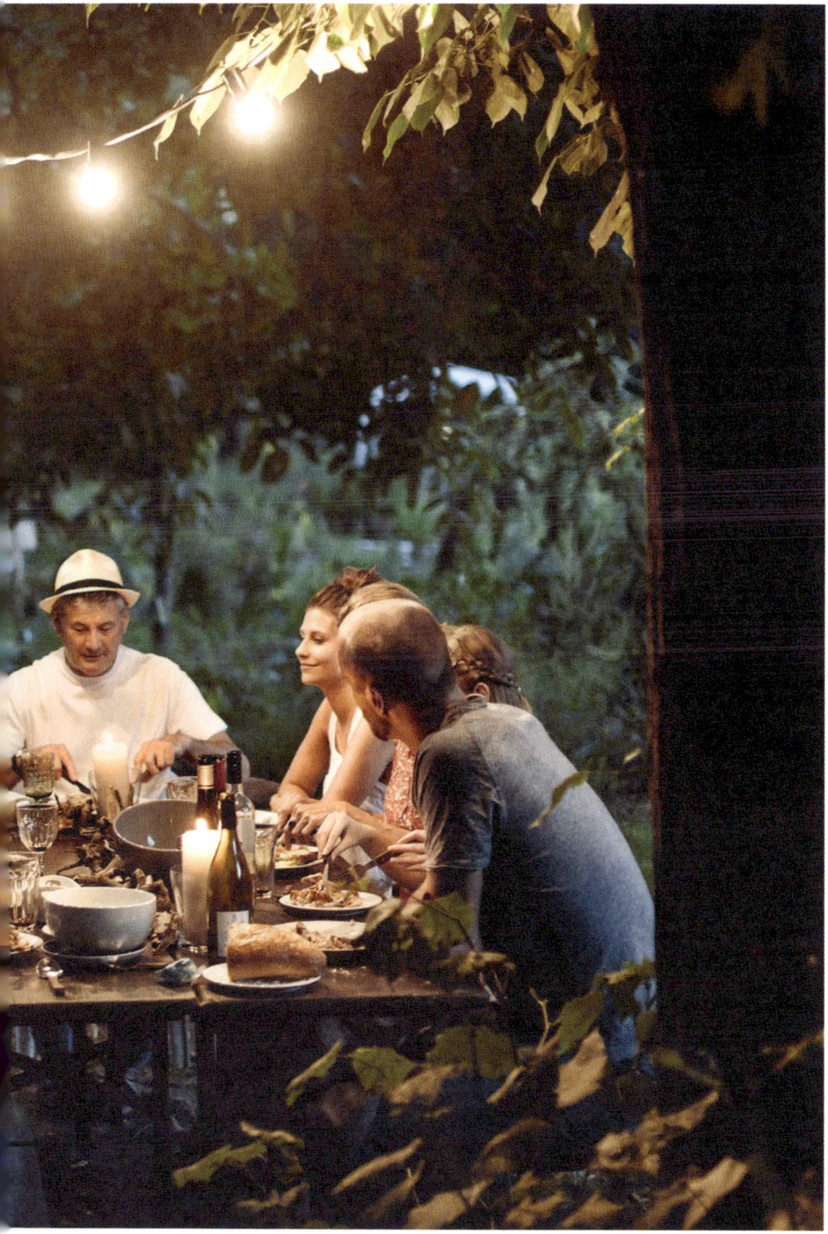

DEZEMBRO: FESTIVIDADES E LIMONADA

Dezembro é o momento de reunir a família e os amigos para as festividades de fim de ano. Também é a época perfeita para saborear uma deliciosa limonada. A bebida tem o aroma do verão. Só de sentir o cheiro já sou transportado direto para os verões da minha infância. Aqui na Dinamarca, costumamos preparar limonada de flor de sabugueiro.

Para 2,5 litros de limonada de flor de sabugueiro:

- 30 ramos de flor de sabugueiro
- 3 limões-sicilianos grandes
- 1,5 l de água
- 50 g de ácido cítrico
- 1,5 kg de açúcar

---

1. Numa tigela grande, de preferência com capacidade para 5 litros, acrescente os ramos de flor de sabugueiro.
2. Limpe os limões em água quente, corte-os e acrescente-os aos ramos na tigela.
3. Ferva a água e acrescente o ácido cítrico e o açúcar.
4. Adicione a água quente à tigela com os ramos de flor de sabugueiro e fatias de limão.
5. Cubra a tigela com uma tampa e deixe a limonada descansar por 3 dias.
6. Coe o líquido e armazene-o em garrafas. Guarde na geladeira.

CAPÍTULO 9

HYGGE PARA TODOS OS BOLSOS

AS MELHORES COISAS DA VIDA SÃO DE GRAÇA

Não há nada chique, caro ou luxuoso num par de meias grossas de lã cheias de hygge – e essa é uma característica essencial da anatomia hyggelig. Champanhe e ostras podem ser muitas coisas, mas hygge não é uma delas.

O hygge é humilde e vagaroso. É o rústico em vez do novo, o simples em vez do sofisticado, o clima em vez da empolgação. De muitas formas, o hygge pode ser o primo dinamarquês do estilo de vida lento e modesto.

É colocar o pijama e assistir a *O senhor dos anéis* numa noite fria. É sentar-se diante da janela e ficar observando o tempo enquanto toma seu chá favorito. É bater um papo gostoso com os amigos enquanto espera a carne assar na churrasqueira.

A simplicidade e a modéstia são elementos centrais do hygge, mas também são virtudes quando se trata do design e da cultura da Dinamarca. Simplicidade e funcionalidade são os principais ingredientes dos clássicos do design dinamarquês, e nosso amor pela modéstia significa que se vangloriar por suas conquistas ou exibir seu Rolex não apenas é uma prática malvista e considerada

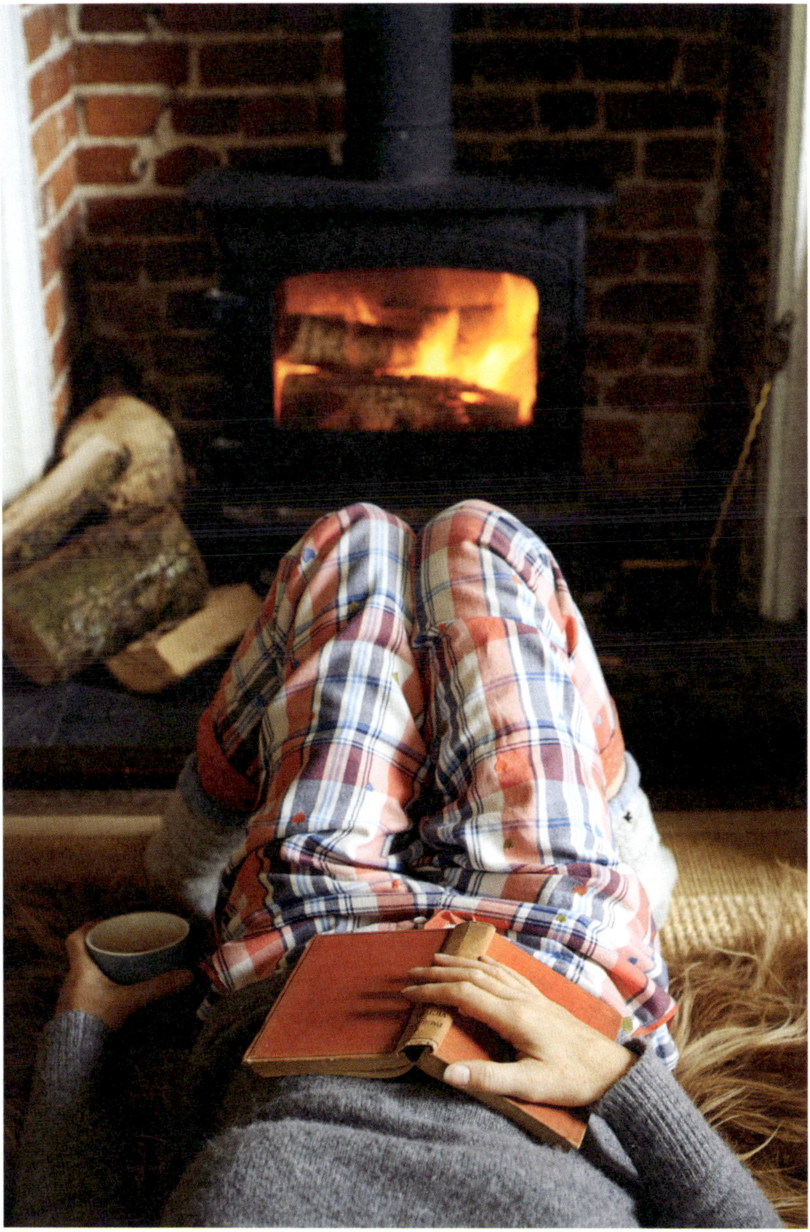

de mau gosto, como também acaba com o hygge. Em resumo, quanto mais brilho, menos hygge.

Consequentemente, você também pode usar o hygge como desculpa para não ir a um restaurante chique que está fora do seu orçamento. "Não seria melhor a gente ir a um lugar mais hyggeligt?" é um argumento muito válido para encontrar um estabelecimento mais barato. O que não significa que um restaurante mais caro não possa apresentar algum fator hygge.

Hygge se trata de apreciar os prazeres simples da vida e pode ser alcançado com um orçamento apertado. O poema e canção "Svantes lykkelige dag" (O dia feliz de Svante), de Benny Andersen, é famoso na Dinamarca. Fala sobre aproveitar o momento e desfrutar os prazeres simples: "Olhe, a luz matinal chegou. O sol está vermelho e cheio. Ela toma um banho. Eu como pão e queijo. A vida não é ruim quando consideramos tudo que temos. E o café está quase pronto."

Tudo bem, talvez os dinamarqueses sejam melhores no hygge do que em poesia, mas um dos padrões mais consistentes na pesquisa da felicidade é a pouca diferença que o dinheiro faz. É claro que, se você não conseguir comprar comida, o dinheiro é fundamental, mas, no caso das pessoas que não estão lutando contra a pobreza nem contando moedas para pagar as contas, um pouco de dinheiro a mais por mês não muda muita coisa quando se trata de felicidade.

Isso se encaixa com o hygge. O clima certo e a sensação de união não estão à venda. Ninguém consegue o hygge quando está com pressa ou estressado, e a arte de criar intimidade não pode ser comprada com nada além de tempo, interesse e comprometimento com as pessoas ao redor.

O hygge pode e frequentemente vai girar em torno de comer e beber, porém quanto mais ele for contra o consumo, mais hyggeligt será. Quanto mais dinheiro e prestígio forem associados a algo, menor será o fator hygge. Quanto mais simples e rústica for uma atividade, mais hyggelig ela será. Beber chá é mais hyggeligt que beber champanhe; jogos de tabuleiro são mais hyggelige que jogos de computador; e comida e bolinhos caseiros são mais hyggelige que alimentos industrializados.

Em resumo, se você quiser o hygge, saiba que não há dinheiro no mundo que o compre – pelo menos não se você for comprar algo mais caro que uma vela. O hygge é um clima que não apenas é prejudicado quando gastamos mais dinheiro nele, mas piorado.

Talvez o hygge seja ruim para o mercado capitalista, mas ele pode se mostrar muito bom para a sua felicidade. Trata-se de apreciar os prazeres simples da vida, e isso pode ser alcançado com pouquíssimo dinheiro. Aqui vão dez exemplos para comprovar que o melhor hygge na vida é de graça – ou quase isso.

DEZ ATIVIDADES BARATAS
PARA O HYGGE

1. JOGOS DE TABULEIRO

Vivemos na era da Netflix, do *Candy Crush* e de estoques intermináveis de entretenimento eletrônico. Passamos nosso tempo com a tecnologia e não uns com os outros. No entanto, jogos de tabuleiro continuam sendo populares – em parte por causa do hygge. Todo ano meu amigo Martin organiza uma partida de um jogo de tabuleiro de primeiro escalão: *Axis & Allies*. Ambientado na Segunda Guerra Mundial, ele é basicamente uma versão complexa do jogo *Risco*. A partida dura cerca de catorze horas, e Martin costuma pagar um quarto de hotel para sua namorada muito compreensiva passar a noite. Escutamos música clássica – em geral, Wagner e Beethoven –, e a fumaça de charutos domina a sala, então mal dá para enxergar o grupo de homens adultos usando fardas. Admito que podemos ser um pouco exagerados, mas fazemos tudo pelo hygge.

Mas por que jogos de tabuleiro são hyggelige? Bem, em primeiro lugar, é uma atividade social. Você joga com outras pessoas. Cria memórias e fortalece laços. Todos os amigos de Martin ainda se lembram do momento da partida de 2012 quando os Aliados subitamente perceberam que Moscou estava prestes a cair. Além disso, para muitos de nós que crescemos jogando *Banco Imobiliário* ou *Imagem & Ação*, jogos de tabuleiro são cheios de nostalgia e nos levam de volta para épocas mais simples. Também há a lentidão da atividade (especialmente quando uma partida demora catorze horas), o prazer de tocar as peças do jogo e um climinha de hygge.

2. FESTA DA DESPENSA

Essa é uma das minhas favoritas. Convide os amigos para passar uma tarde ou uma noite cozinhando na sua casa. As regras são simples. Todo mundo leva um ingrediente para preparar algo que possa ser estocado na despensa ou na geladeira. Geleia de morango, picles, ketchup caseiro, caldo de galinha, *limoncello*, sopa de abóbora – o que você quiser. As pessoas também precisam levar jarros, latas, garrafas ou potes com um formato que permita armazenar guloseimas caseiras. A beleza está na diversidade. Em vez de ter dez porções da mesma sopa de abóbora, agora você tem chutney de manga, refrigerante de gengibre, pimenta em conserva, *baba ganoush*, pão artesanal, geleia de ameixa, licor de pêssego, aguardente de nozes e sorvete de maracujá. Nham.

3. NOITE DA TELEVISÃO

Eu e um dos meus melhores amigos sempre assistimos a *Game of Thrones* juntos. (Estamos na terceira temporada, então não quero saber quem ainda vai morrer.) A cada duas semanas mais ou menos, assistimos a dois episódios. Só isso. Sei que não maratonar uma temporada inteira da sua série favorita no dia em que ela é lançada é um hábito quase Amish na era da Netflix, mas há vantagens. Primeiro, a televisão volta a ser algo mais sociável. Em segundo lugar, você tem algo pelo que ansiar com regularidade. Então se controle para não fazer uma maratona e convide seus amigos para assistir semanalmente a uma série específica.

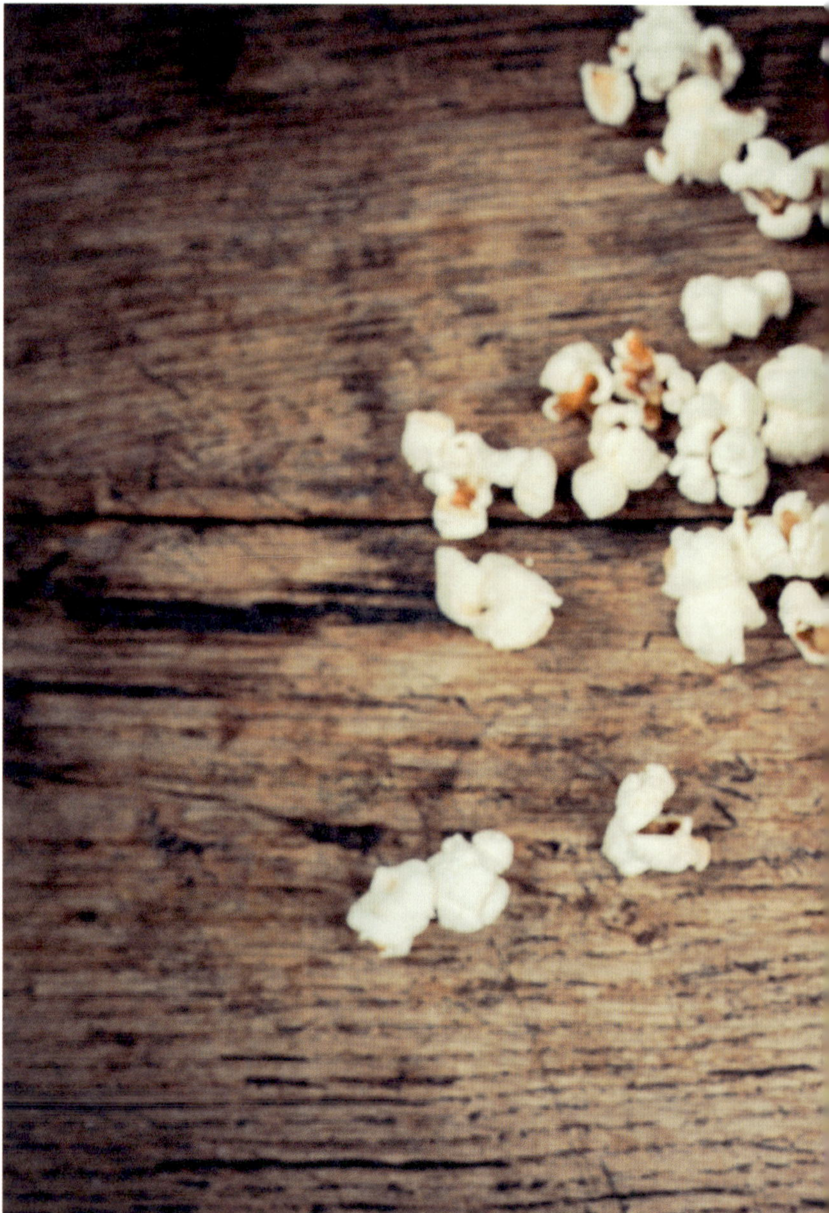

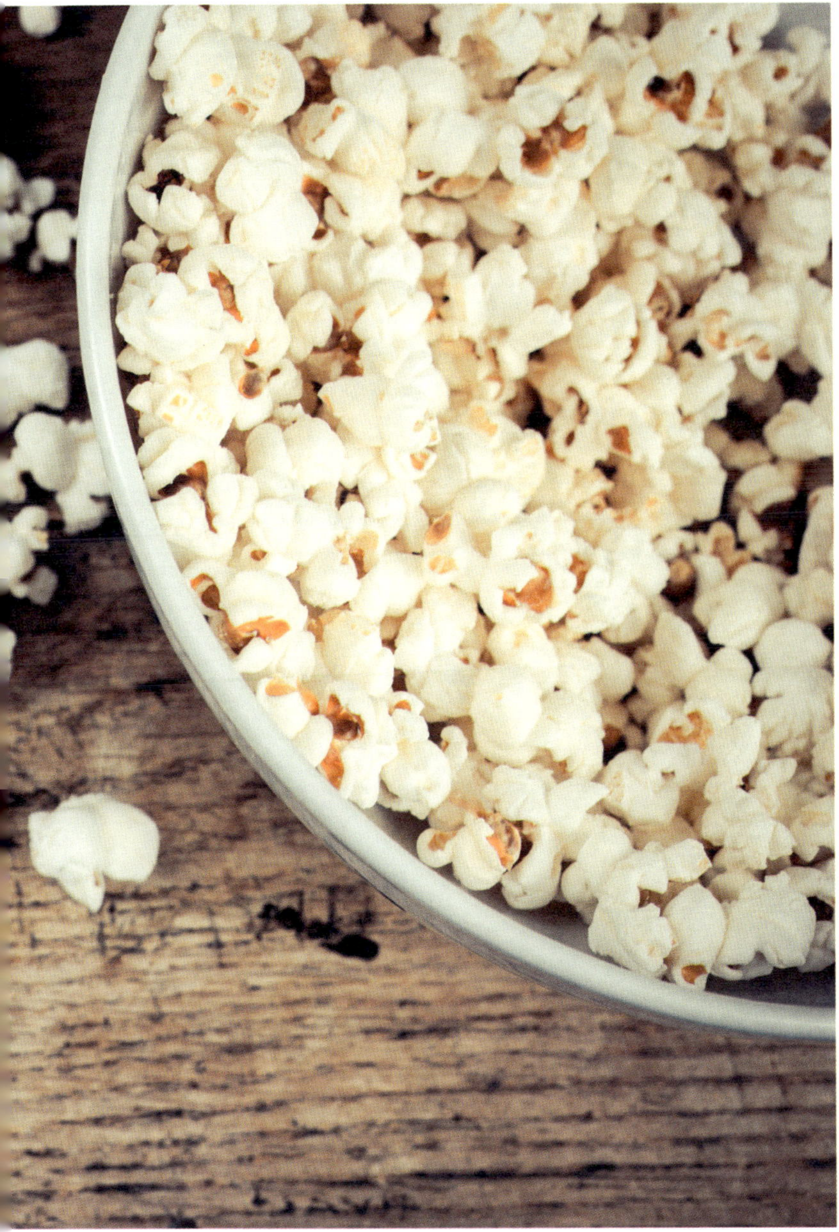

4. MINIBIBLIOTECA COMUNITÁRIA NA ESCADA DO PRÉDIO OU NO BAIRRO

Uma forma barata e sustentável de tornar os espaços compartilhados do seu prédio ou do seu bairro um pouco mais hyggelige é montando uma pequena biblioteca. Encontre uma cômoda rústica ou algumas prateleiras e coloque-as na escada (talvez seja melhor pedir permissão primeiro). Deixe na biblioteca alguns livros que você já leu, mas peça aos vizinhos que ampliem a seleção de títulos seguindo a regra de substituir um livro por outro. Ser recepcionado por livros sempre que você chegar à escada é um jeito bem mais hyggelig de voltar para casa. E talvez isso incentive uma interação mais hygge entre os moradores do prédio.

5. BOCHA

Embora não seja mais tão popular hoje em dia, bocha é um jogo perfeito para um dia bonito ao ar livre. Além de ser uma desculpa incrível para tomar drinks refrescantes, jogar bocha é uma ótima forma de passar tempo com parentes e amigos. O jogo é informal e lento, então permite que os participantes batam papo ao mesmo tempo, e há algo para assistir enquanto vocês conversam. Encontre o parque mais próximo com um trecho comprido de cascalho para servir de campo, leve mantas e uma cesta de piquenique.

6. FOGUEIRA

A fogueira com certeza faz parte da equação do hygge, assim como a preparação vagarosa de pratos muito simples, mas também se trata da conexão ao redor dela, do fato de que não é preciso manter a conversa o tempo todo, já que há o som da madeira crepitando ao fogo. Agora que a chama perdeu a força e as brasas estão prontas, encontre um galho reto e limpe a casca na extremidade em que ficará preso o pão. Envolva-o com firmeza ao redor do galho e deixe-o sobre a brasa ardente. As pessoas estão reunidas ao redor da fogueira, num círculo fechado que se abre um pouco apenas quando a fumaça muda de direção. Seus olhos ardem da fumaça, suas mãos ardem pela proximidade com o fogo, seu pão está ficando preto por fora, mas continua cru por dentro. Não há nada mais hyggelig.

7. CINEMA AO AR LIVRE

Muitas cidades exibem filmes ao ar livre durante o verão. Em Copenhague, as sessões acontecem em agosto, já que as noites de junho e julho são claras demais para isso. O som costuma ser muito baixo, você fica sentado desconfortável no chão, sem apoio para as costas, e as pessoas espertas o suficiente para levar cadeiras montam acampamento bem na sua frente, bloqueando parte da sua visão da tela. No entanto, é um evento muito hyggelig. Sempre vou com alguns amigos. Arrumamos nossas coisas, comemos, bebemos vinho, conversamos e esperamos o filme começar.

8. FESTA DA TROCA

Você se lembra daquela luminária que deixou na garagem de casa e pensa em colocar para vender há uns dois anos? Ou daquele liquidificador extra que você agora tem em casa depois que resolveu morar com seu par? Por que não se livrar dessas coisas ao trocá-las por algo realmente necessário – e passar uma noite hyggelig ao mesmo tempo? Convide amigos e parentes para uma festa da troca. As regras são simples. Cada pessoa leva algo de que não precisa mais e que pode ter valor para alguém. Além de ser um evento amigável para a carteira e o meio ambiente, também é uma boa oportunidade para limpar o guarda-roupa, os armários da cozinha, a garagem ou qualquer outro lugar em que você guarde quinquilharias. Além disso, pode ser mais útil e divertido fazer trocas com amigos do que passar um fim de semana tentando vender suas coisas num mercado de pulgas ou colocando um anúncio na internet.

9. TRENÓ

No inverno dinamarquês, é fácil se sentir preso dentro de casa. E, apesar de ser uma delícia relaxar com um livro e uma xícara de chá, fazer isso depois de passar um dia na neve seria ainda mais hyggelig. Então, se você viajar para uma região com neve, aproveite para andar de trenó. Se o orçamento estiver apertado, você pode usar uma sacola plástica resistente para deslizar por uma colina. Brincar na neve é uma atividade gratuita – e divertida. Leve uma cesta de piquenique com chá ou vinho quente para depois. Se for beber, não dirija um trenó.

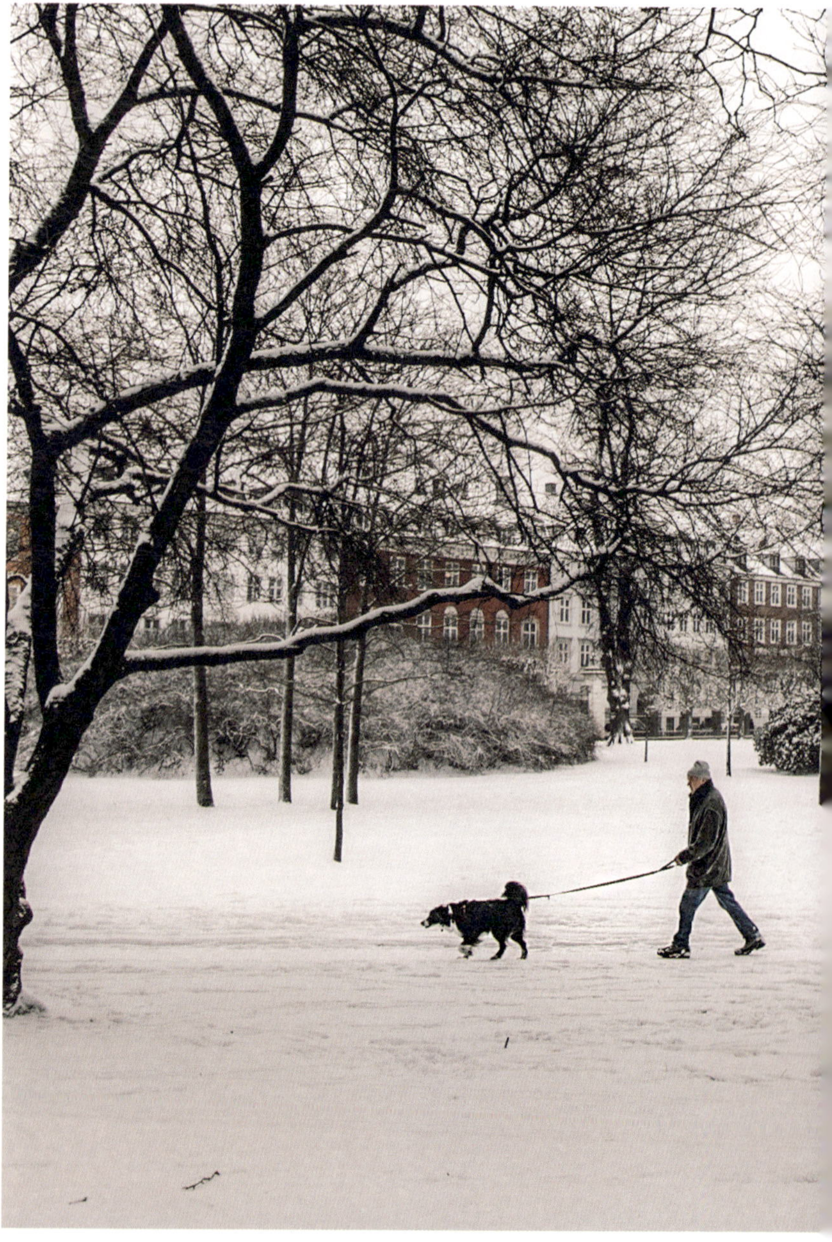

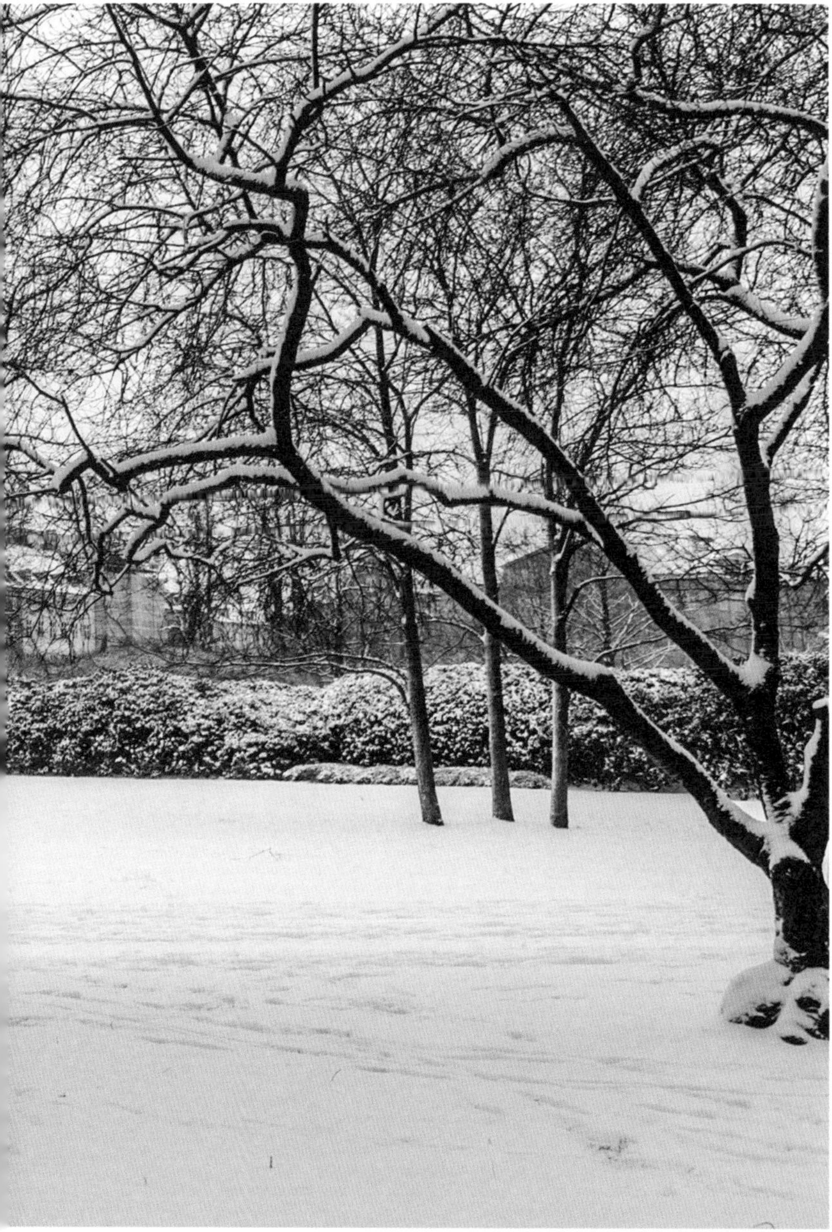

10. BRINCADEIRAS

De muitas formas, várias das atividades anteriores, como trenó e jogos de tabuleiro, entram na mesma categoria: brincadeiras. Adorávamos brincar quando criança, mas, por algum motivo, paramos de fazer isso quando crescemos. Adultos não devem brincar. Devemos nos estressar, nos preocupar e nos ocupar demais com os problemas da vida. Porém, de acordo com um estudo conduzido pela Universidade Princeton e comandado pelo professor de Economia e Assuntos Públicos Alan Krueger, somos mais felizes quando nos envolvemos em atividades prazerosas que prendem nossa atenção.

Um dos principais problemas da vida adulta é que nos tornamos focados demais nos resultados de uma atividade. Trabalhamos para ganhar dinheiro. Vamos à academia para perder peso. Interagimos com pessoas para fazer networking e crescer na carreira. O que aconteceu com fazer as coisas só porque são divertidas? Se você não conseguir se lembrar da última vez que se divertiu, então se lembre de *O iluminado*: "Só trabalho e nenhuma diversão fazem de Jack um menino chato." Observe na tabela das páginas 196-197 que as atividades com pontuação mais alta são aquelas que envolvem alguma socialização, como esportes, festas e brincadeiras com crianças.

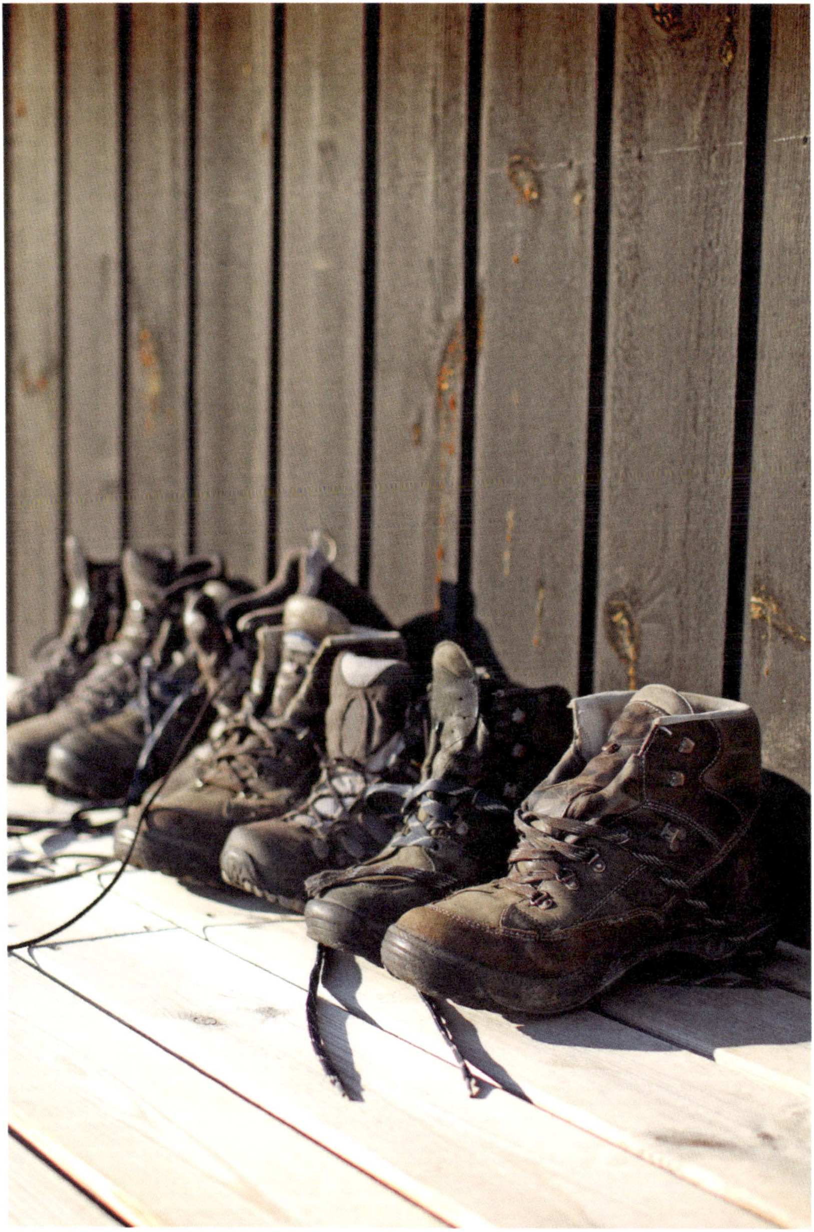

PESQUISA DE PRINCETON SOBRE AFETO E TEMPO

Nesse estudo, cerca de 4 mil participantes avaliaram, numa escala de 0 a 6, como ficaram felizes com as atividades executadas no dia anterior.

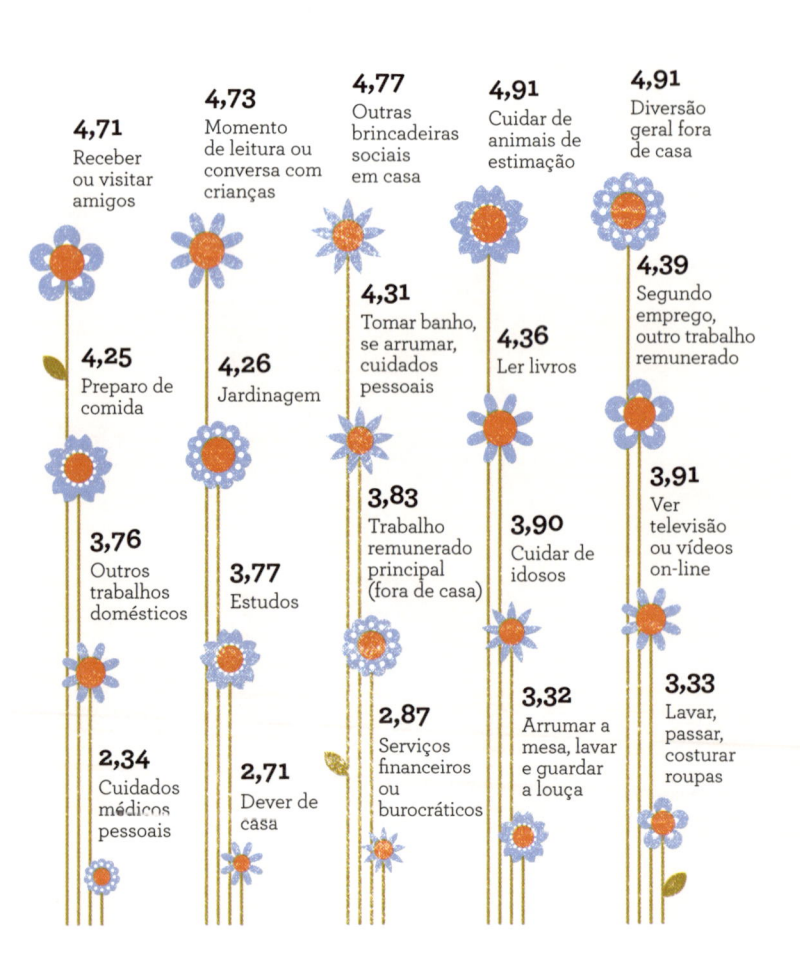

4,71 Receber ou visitar amigos

4,73 Momento de leitura ou conversa com crianças

4,77 Outras brincadeiras sociais em casa

4,91 Cuidar de animais de estimação

4,91 Diversão geral fora de casa

4,39 Segundo emprego, outro trabalho remunerado

4,25 Preparo de comida

4,26 Jardinagem

4,31 Tomar banho, se arrumar, cuidados pessoais

4,36 Ler livros

3,91 Ver televisão ou vídeos on-line

3,76 Outros trabalhos domésticos

3,77 Estudos

3,83 Trabalho remunerado principal (fora de casa)

3,90 Cuidar de idosos

3,33 Lavar, passar, costurar roupas

2,34 Cuidados médicos pessoais

2,71 Dever de casa

2,87 Serviços financeiros ou burocráticos

3,32 Arrumar a mesa, lavar e guardar a louça

- **5,41** Brincar com crianças
- **5,33** Escutar música
- **5,32** Caçar, pescar, andar de barco, fazer trilha
- **5,24** Ir a um evento esportivo
- **5,24** Festas ou eventos
- **5,09** Esportes e exercícios
- **5,06** Contratar serviços pessoais
- **5,02** Viagem para compras
- **5,0** Cafeteria, bar
- **4,97** Orar e praticar a religião
- **4,66** Caminhar
- **4,55** Conversas, telefone, mensagens
- **4,54** Cuidados gerais de crianças mais velhas
- **4,47** Outras refeições e lanches
- **4,40** Relaxar, pensar, ficar à toa
- **4,22** Trabalho voluntário
- **4,03** Comprar produtos rotineiros
- **4,02** Viagem a lazer ou por outro motivo
- **3,99** Usar o computador
- **3,93** Outros cuidados infantis
- **3,72** Limpeza
- **3,67** Agendar serviços médicos
- **3,50** Reparos em casa e no veículo
- **3,47** Trabalhar em casa
- **3,46** Escrever à mão

CAPÍTULO 10

O TOUR DO HYGGE EM COPENHAGUE

HYGGE TOUR

Se você visitar Copenhague, talvez queira ir a alguns destes lugares hyggelige.

NYHAVN (PORTO NOVO)

Essa costumava ser uma parte violenta da cidade, com marinheiros arruaceiros e "damas do prazer". Hoje você pode visitar um dos muitos restaurantes para comer arenque em conserva e beber alguma coisa. Se esse não for seu tipo de programa e o clima estiver bom, faça como os locais e compre algumas cervejas num mercado, sente-se na amurada e fique vendo a vida passar.

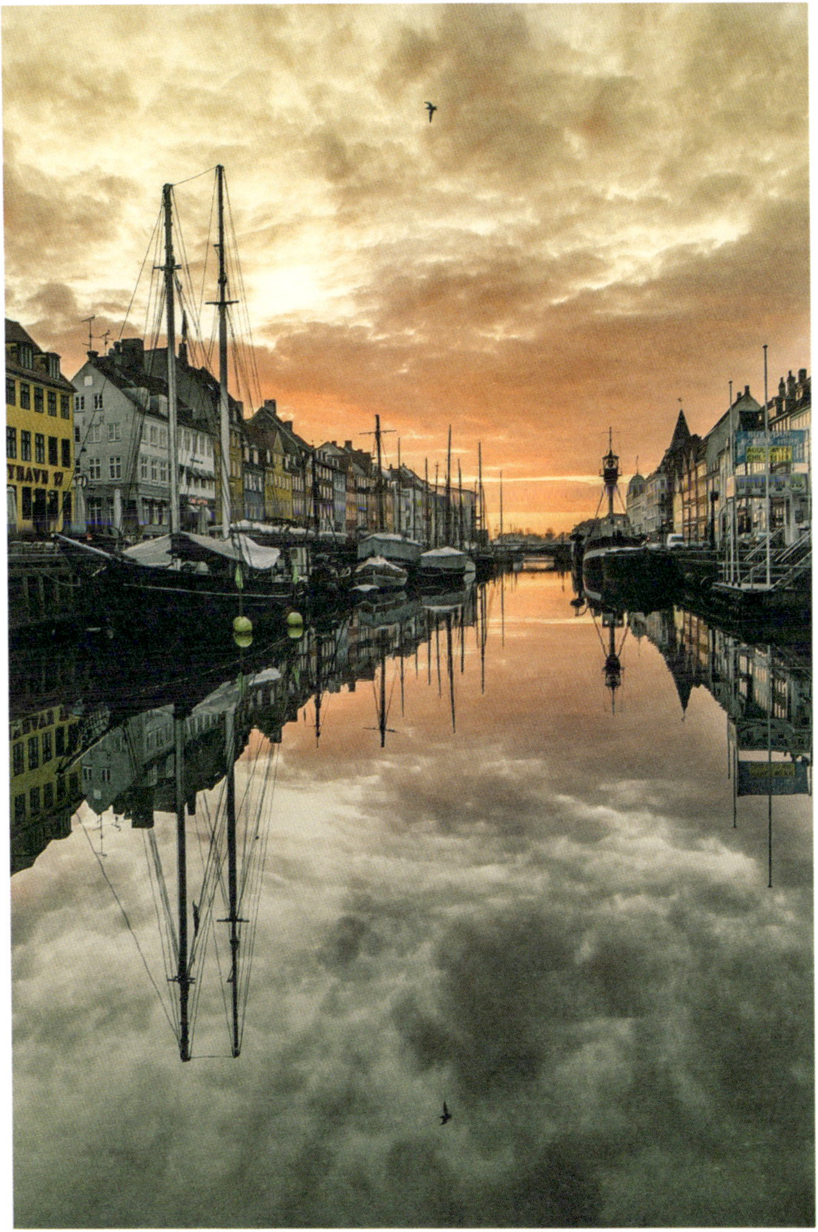

LA GLACE

Mergulhe no creme. Está lembrado da importância dos bolos? Se houvesse um Caminho de Santiago para bolos, La Glace seria a Catedral de Santiago de Compostela. A confeitaria foi inaugurada em 1870 e é a mais antiga da Dinamarca.

JARDINS DE TIVOLI

Foram inaugurados em 1843 e são uma atração clássica de Copenhague, para a qual muitos cidadãos compram ingressos anuais. Apesar de muitas pessoas os visitarem durante o verão, a melhor época para o hygge é quando o Tivoli se fantasia para o Natal e a noite de Ano-Novo (geralmente entre meados de novembro até janeiro). É uma comemoração da luz. Várias centenas de milhares de luzes transformam o jardim num lugar mágico em meio à escuridão do inverno, e você pode se deliciar com um *gløgg* perto de uma das fogueiras no jardim ou se esquentar diante da lareira do bar Nimb.

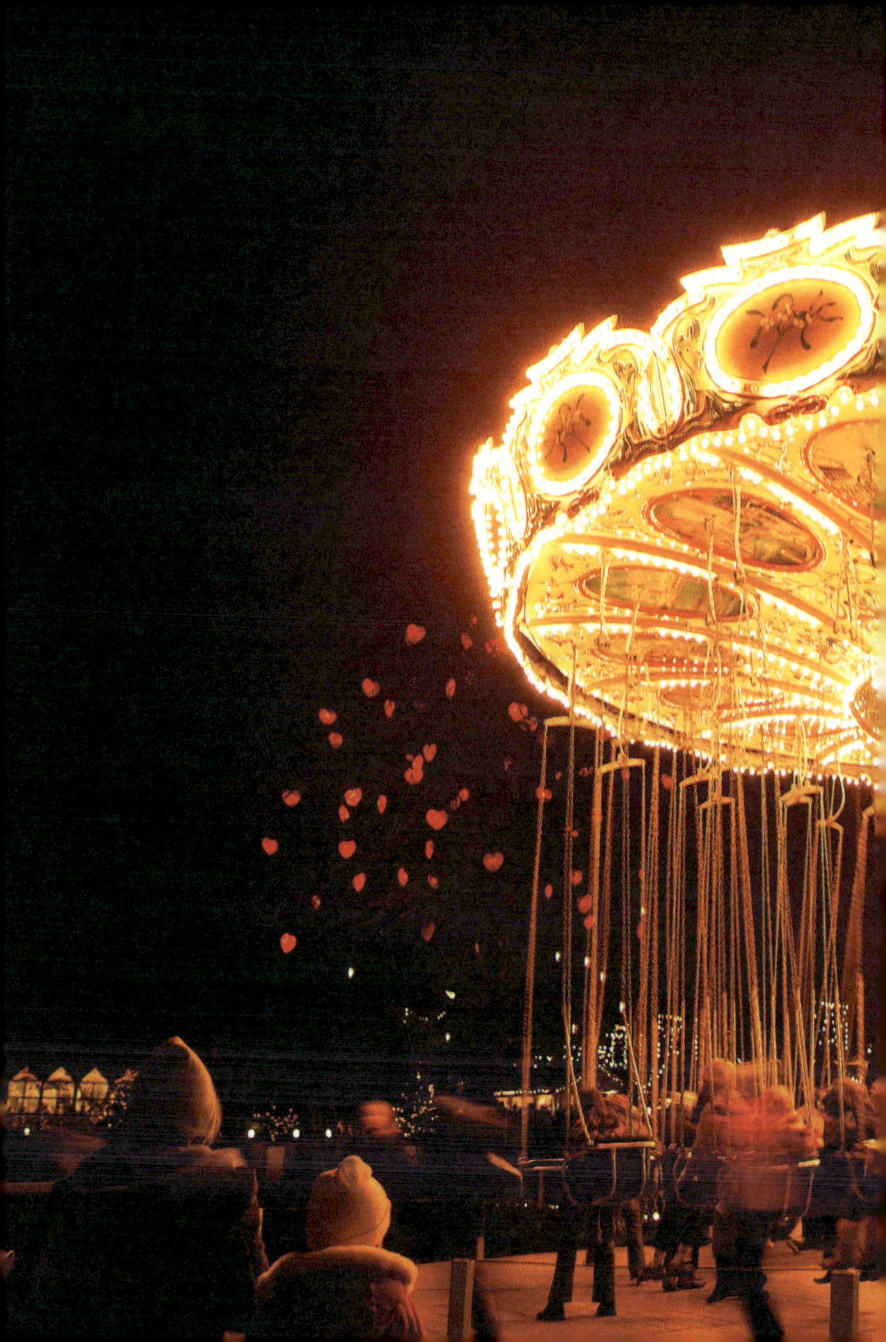

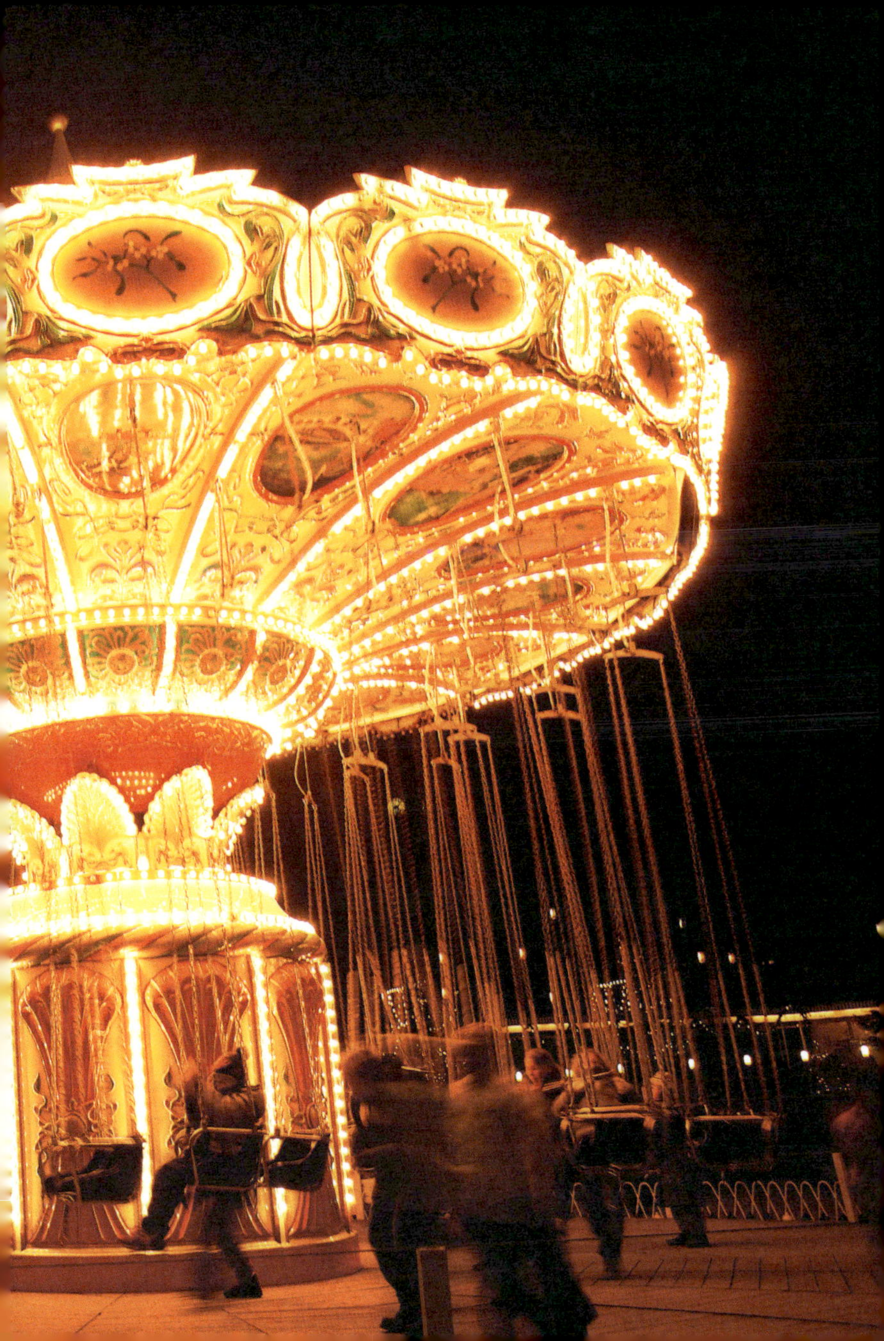

REME POR CHRISTIANSHAVN

Christianshavn faz parte do centro de Copenhague, mas é separado do restante da cidade pelo Porto Interior. A área é repleta de canais e pode lembrar um pouco Amsterdã. A melhor forma de explorar essa região da cidade é alugando um barco e remando pelos canais. Leve mantas, vinho e uma cesta de piquenique.

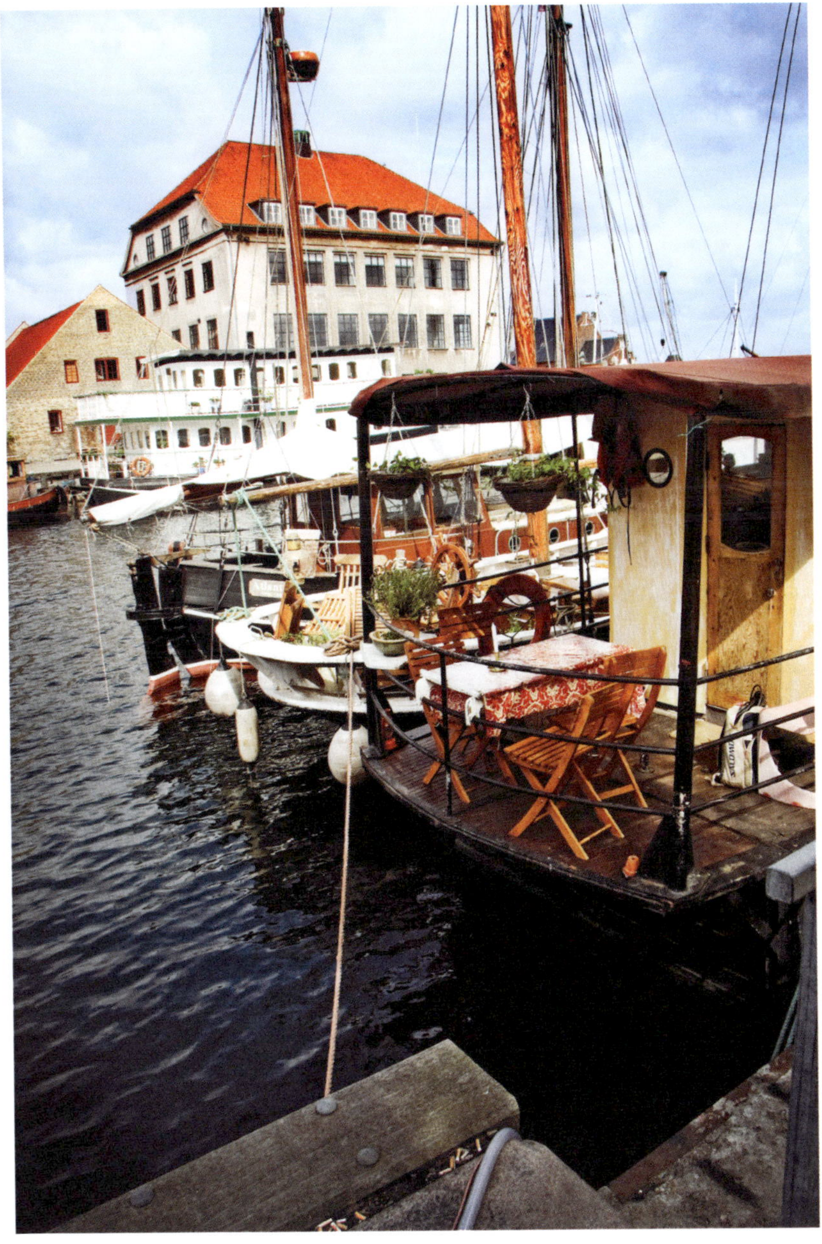

GRÅBRØDRE TORV

A vizinhança cercada por casas antigas fará você voltar séculos no passado. Essa praça hyggelig recebeu seu nome do monastério dos Irmãos Cinza (*Grå brødre*), estabelecido em 1238. Há muitos restaurantes aconchegantes na praça. No Peder Oxe, você pode pedir um clássico *smørrebrød* dinamarquês e aproveitar a lareira. Até um dos salões de beleza na praça tem uma lareira (e um buldogue francês, que vai adorar dormir no seu colo enquanto você corta o cabelo). Muito hygge. Talvez você também tenha a sorte de ver um porco inteiro sendo assado na praça.

VÆRNEDAMSVEJ

Em Værnedamsvej, carros andam em zigue-zague em meio a ciclistas e pedestres. Essa rua curta fará você diminuir o ritmo para cheirar as flores e o café. Floristas, cafeterias, bares de vinho e lojas de decoração fazem dela um lugar maravilhoso para passar uma tarde preguiçosa e hyggelig.

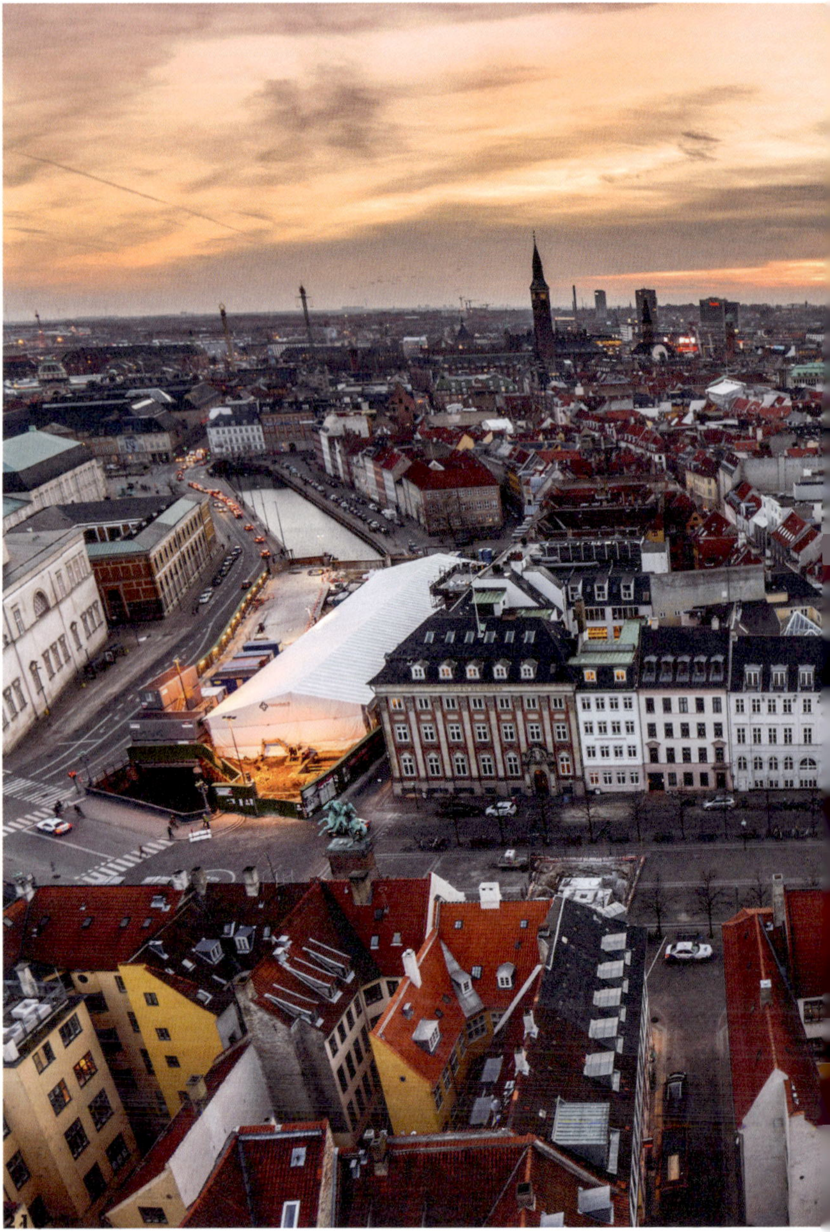

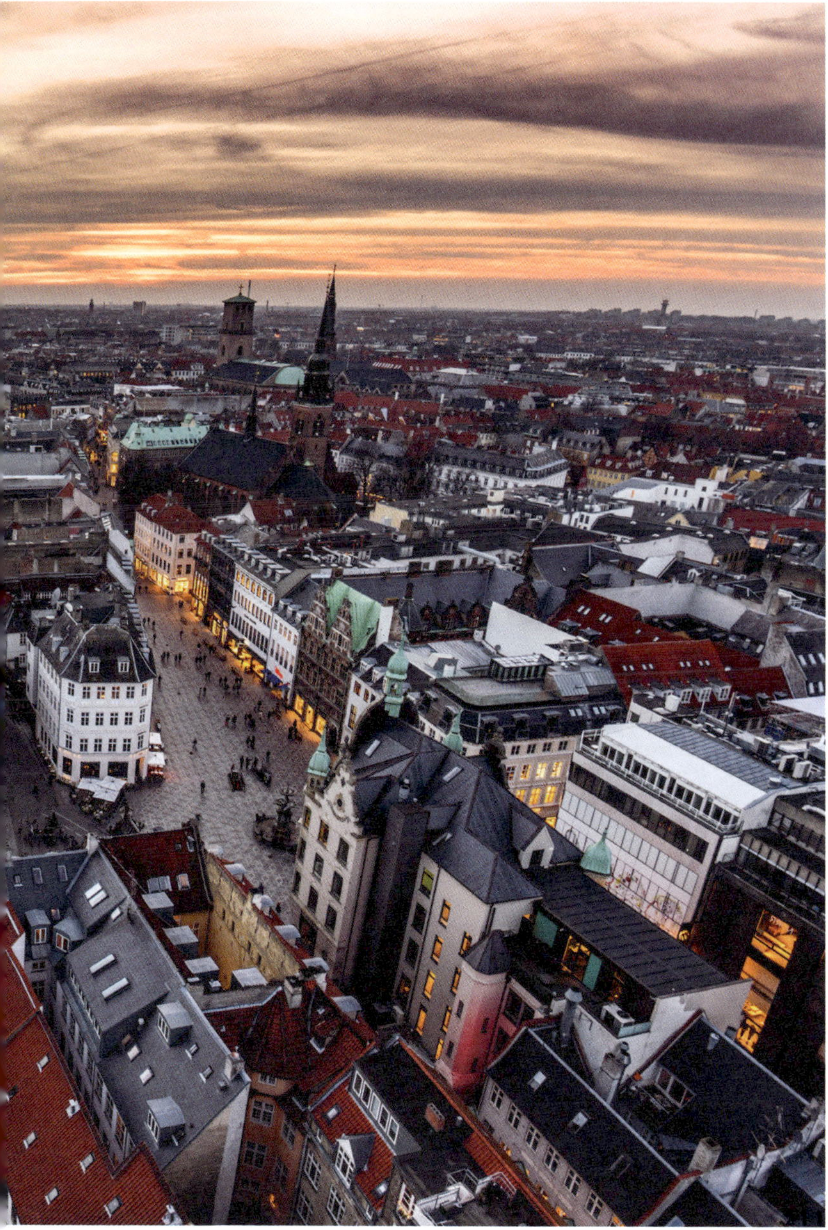

UM LUGAR *SMØRREBRØD*

Smørrebrød significa, literalmente, pão espalhado. É um sanduíche aberto, feito com pão de centeio. Os dinamarqueses são fãs inveterados desse tipo de pão, que costuma ser uma das primeiras coisas de que sentem falta quando vão morar no exterior. Alguns estrangeiros que moram na Dinamarca, por outro lado, chamam o pão de "sandália do diabo", porque detestam o gosto e acham a massa dura. Em todos os sentidos, o *smørrebrød* é uma autêntica experiência de almoço dinamarquês. Ele pode ter uma quantidade quase infinita de coberturas, desde arenque até carne crua, ovos e frutos do mar, e alguns têm nomes pitorescos, como "comidinha noturna do veterinário". O *smørrebrød* costuma ser servido com cerveja e *schnapps*. Em Copenhague, você encontrará muitas lanchonetes que vendem a iguaria, e esse almoço com certeza vai dar um impulso no hygge.

LIBRARY BAR

No Plaza Hotel, perto da estação de trem central, você encontrará o Library Bar, que foi inaugurado em 1914. Aqui há sofás, painéis de madeira, livros com capa de couro e uma iluminação muito hyggelig. O bar tem música ao vivo de vez em quando, mas é bom para conversas profundas em noites mais tranquilas. Se você fizer uma visita durante o Natal, encontrará um pinheiro pendurado de cabeça para baixo no teto.

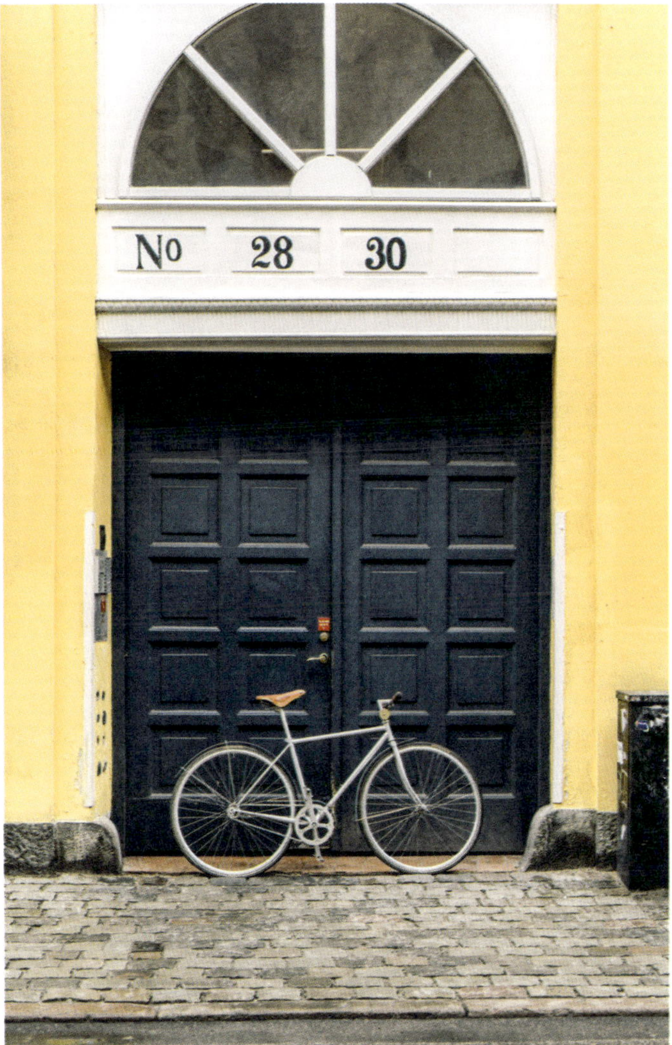
No 28 30

CAPÍTULO 11

NATAL

É A ÉPOCA MAIS HYGGELIG DO ANO

Muitos, inclusive os dinamarqueses, consideram o Natal uma época maravilhosa. No entanto, "maravilhosa" não é nem de perto a única palavra usada para descrever essa data. Se você pedir a pessoas de qualquer nacionalidade que descrevam o Natal em um único termo, adjetivos como "feliz", "alegre", "caloroso" e "carinhoso" provavelmente serão citados. Os dinamarqueses até concordariam, mas argumentariam que está faltando a palavra mais adequada de todas. Esqueceram hyggelig!

Na Dinamarca, durante todo um mês do ano, os dias são tão curtos que você terá sorte se conseguir ter um vislumbre do sol. Enquanto faz o trajeto de ida e volta do trabalho de bicicleta no frio e na chuva, na completa escuridão, você começa a questionar por que alguém achou que se estabelecer na Dinamarca seria uma boa ideia. Sim, eu sei, aqui não faz 30 graus negativos nem sofremos com furacões ou tsunamis. Mas a vida neste lugar faz você ter a sensação de que os deuses do clima não vão muito com a nossa cara e querem nos fazer sofrer por pelo menos um mês por ano.

Por mais improvável que pareça, essa é a temporada do hygge na Dinamarca. Nós, dinamarqueses, simplesmente não permitimos que o clima ou as leis da natureza definam nosso bem-estar emocional. Portanto, em vez de começar a hibernar – o que parece uma ótima ideia nas manhãs chuvosas de dezembro –, decidimos fazer o máximo para melhorar a situação.

Apesar de ser possível ter hygge durante o ano todo, ele é o objetivo principal de um mês inteiro apenas uma vez por ano. Sem o hygge, o esforço dos dinamarqueses para colocar em prática o projeto do Natal seria em vão. Castanhas, uma lareira, amigos e parentes reunidos ao redor de uma mesa com guloseimas, decorações em vermelho, verde e dourado, o aroma fresco de pinho da árvore de Natal, canções que todo mundo conhece e a transmissão dos mesmos programas de televisão do último ano – e de todos os anos anteriores – são características típicas do Natal no mundo todo. De Dallas a Durban as pessoas cantam "Last Christmas". De Dublin a Dubai as pessoas conhecem o enredo de *Um conto de Natal*. Isso também vale para a Dinamarca.

Existem tradições natalinas que são especificamente dinamarquesas, porém um Natal na Dinamarca não é tão diferente assim de um Natal na Alemanha, na França ou no Reino Unido em termos de atividades ou tradições.

A parte diferente é que o Natal aqui é sempre planejado, pensado e avaliado em relação ao conceito do hygge. Não há outro momento do ano em que os dinamarqueses falem tanto de hygge. Ele é mencionado em literalmente qualquer oportunidade. E, é claro, o dinamarquês possui uma palavra composta, *julehygge* (hygge de Natal), que pode ser usada como adjetivo ou como verbo. "Você quer vir aqui para *julehygge*?"

Nas páginas seguintes darei a receita para um Natal hyggelig de verdade – o Natal dinamarquês perfeito –, o que, por si só, é uma tarefa intimidante. Os dinamarqueses são apegados ao Natal, e tenho certeza de que muitos discordarão dos elementos natalinos que vou mencionar. No entanto, a maioria provavelmente reconhecerá mais de um elemento em suas próprias tradições.

FAMÍLIA E AMIGOS

Todo ano, na segunda metade de dezembro, uma migração em massa ocorre na Dinamarca. As pessoas nascidas em outras partes do país e que moram em Copenhague fazem as malas, empacotam vários presentes e embarcam num trem rumo à sua cidade natal.

Um Natal hyggelig começa e termina com família e amigos. Essas são as pessoas com quem nos sentimos seguros; as que nos deixam confortáveis. Elas nos conhecem, e gostamos de estar juntos porque nos amamos. Mais uma vez, a qualidade das nossas relações sociais se mostra um dos melhores indicadores do nosso bem-estar emocional.

Muitas pessoas sentem que convivem pouco com seus entes queridos no dia a dia. O Natal é uma oportunidade de compensar isso, de se reunir ao redor de uma mesa cheia de guloseimas para aproveitar a vida e a companhia uns dos outros. Esse é o ingrediente secreto de um Natal hyggelig. Pessoas pelo mundo todo fazem a mesma coisa a cada ano que passa, porém apenas nos lares dinamarqueses se escuta um suspiro de alívio coletivo quando alguém garante aos outros que "Isto é muito hyggeligt". É nesse momento que tanto os anfitriões quanto os convidados sentem que o Natal chegou; o espírito verdadeiro do hygge foi alcançado.

Mas família não é o único ingrediente para um Natal hyggelig. Apesar de muitas pessoas encontrarem os amigos e os parentes durante as festas de fim de ano, isso pode ser feito o ano todo.

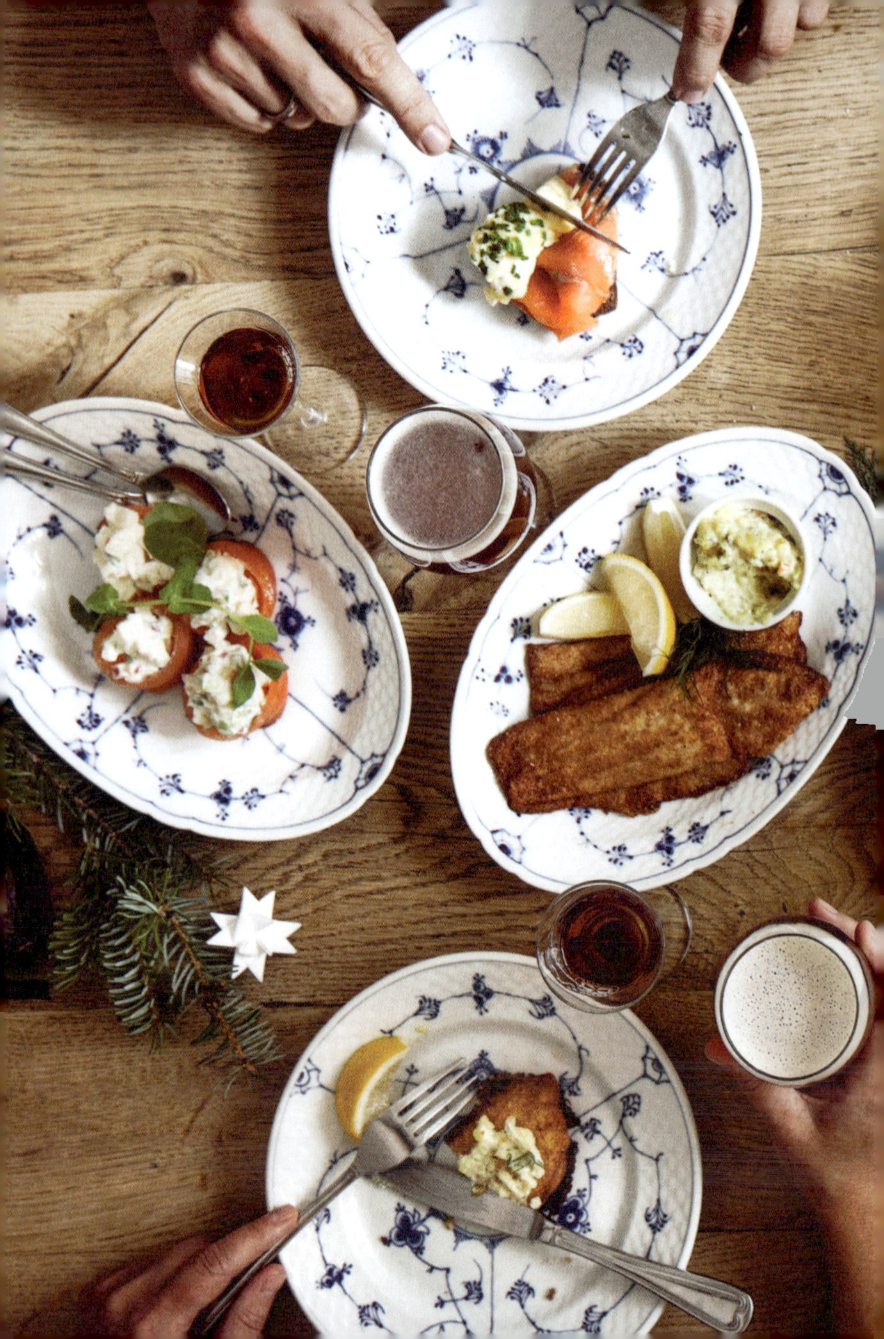

TRADIÇÕES

COMIDA

Na época do Natal, para alcançarmos o hygge, devemos seguir certos rituais e tradições. Um Natal dinamarquês precisa das decorações, comidas e atividades corretas para ser considerado hyggelig "de verdade".

Em primeiro lugar, vem a comida. Comida dinamarquesa. Comida dinamarquesa pesada. Se você passar tempo demais fazendo buscas na internet, aposto que vai encontrar dietas que incluem de tudo. Há aquelas em que só se come carne, ou só gordura, dietas de água, dietas com muitos carboidratos e dietas sem carboidrato algum. Há dietas de legumes e até dietas solares. Mesmo assim, nunca consegui encontrar uma dieta que aceitaria a ceia de Natal dinamarquesa.

O principal protagonista do cardápio é a carne, que vem na forma de porco ou pato assado – com frequência, os dois. Ela é acompanhada de batatas cozidas, batatas carameladas, ensopado de repolho roxo agridoce, molho e picles de pepino. Há também quem acrescente ensopado de repolho com creme de leite, linguiças e vários tipos de pão.

Para completar o banquete, temos uma invenção verdadeiramente dinamarquesa: *risalamande* (do francês *riz à l'amande*, para soar chique), que é metade chantili, metade arroz-doce, com finas amêndoas laminadas, coberto com molho quente de cereja. Mas comer *risalamande* não se resume a uma experiência deliciosa. Também é uma atividade muito social. Porque escondida no meio da grande tigela de sobremesa está uma amêndoa inteira.

Em geral, quando todo mundo recebe sua porção de *risalamande*, o silêncio toma conta da sala. Os olhares vagam de pessoa em pessoa. O clima é mais de pôquer ou de filme de faroeste do que de tradição natalina. "Quem pegou a amêndoa?" Aquele que a encontra ganha um presente e a fama de sortudo (e, por algum motivo, parece mesmo que certas pessoas atraem mais a amêndoa do que outras).

O silêncio logo é substituído por perguntas inquisitivas: "Você pegou a amêndoa, não pegou?", "Você está escondendo, não é, igual ao ano passado?". O objetivo da pessoa que encontrou a amêndoa é escondê-la e negar tê-la encontrado para incentivar os outros a comer a sobremesa até o final: é um tipo peculiar de competição de comida. Na época do Natal, comer uma guloseima se torna uma atividade social hyggelig. Soou delicioso? Experimente. Para a sorte do nosso corpo, só nos deleitamos com esses pratos uma vez por ano.

DECORAÇÕES

Nenhum Natal hyggelig estaria completo sem a decoração adequada. Ela pode variar mais do que a comida, já que toda família herdou sua decoração de seus pais e avós. Mas pode incluir estátuas de animais e do Papai Noel, presépios, cornetas e corações entrelaçados feitos de papel lustroso.

É difícil encontrar os corações de papel fora da Dinamarca. Eles são feitos de duas folhas dobradas de papel brilhoso cortado, cujas bordas são entrelaçadas para formar um coração. Há várias cores e temas, e todo dinamarquês sabe fazer pelo menos a forma mais simples. (Na página 235 há instruções sobre como montar corações entrelaçados.)

E temos as velas (é claro). Quando 100% do tempo passado em casa na Dinamarca em dezembro transcorre no escuro, é preciso ter várias fontes de iluminação – e velas são hyggelige. Uma versão dinamarquesa específica para o Natal é a vela do Advento, pintada com datas de 1º a 24 de dezembro.

Todo dia, a parte correspondente da vela queima. E quase ninguém acende essa vela quando está sozinho. Isso é feito durante a manhã, enquanto os pais arrumam os filhos para a escola, ou à noite, quando a escuridão retorna e a família está reunida à mesa de jantar. A luz da vela-calendário é o centro da família. Ela se torna um chamariz natural para se reunir. Além disso, incentiva o fetiche dinamarquês pela contagem regressiva até o Natal.

A CONTAGEM REGRESSIVA PARA O HYGGE

A vela do Advento não é o único recurso que os dinamarqueses usam para acompanhar a chegada do maior dia de hygge do ano. As crianças têm verdadeiros calendários do Advento. A cada dia de dezembro, até a véspera de Natal, elas abrem uma dobradura no calendário e revelam um símbolo natalino.

Uma versão mais extravagante é um calendário de madeira ou papelão cheio de gavetinhas que abrigam, por exemplo, um pequeno enfeite de Natal ou um doce. Algumas famílias têm até calendários recheados de presentes, e as crianças ganham uma lembrancinha todos os dias até o Natal – quando costumam receber mais presentes.

E há também os calendários da televisão. Em geral são voltados para crianças e oferecem uma atividade hyggelig para amenizar a espera pelo grande dia. Todo ano, a maioria dos canais de TV apresenta seu próprio *julekalender*: uma história relacionada ao Natal e que tem 24 episódios, chegando ao clímax no dia 24 de dezembro, enquanto os adultos estão ocupados com os preparativos de última hora.

MY CITY
HYGGE
1
2
3
4
5
6
7
8
9
10
11
12
13
14
15
16
17
18
19
20
21
22
23
24

Para enfatizar que o Natal de fato é o momento do hygge, um dos personagens regulares dessas séries é Lunte, um *nisse* (criatura do folclore escandinavo), que cumprimenta as pessoas dizendo "*Hyggehejsa*" ("Olá com hygge"). Novos calendários de televisão são produzidos todos os anos, e sempre haverá um antigo sendo reprisado. E, enquanto as crianças riem e se divertem com o programa, os adultos são pegos no flagra dando uma olhadinha na tela e sorrindo, lembrando como era ser criança e assistir àquelas mesmas cenas à espera do Natal.

É claro que essas coisas são hyggelige por si sós, mas também são importantes por serem tradições. E as tradições fazem diferença no hygge. Elas nos lembram os bons e velhos tempos que tivemos com parentes e amigos. Sentimos que um pedacinho do Natal ou do hygge está escondido nesses comportamentos e elementos que sempre fizeram parte da nossa vida. Sem isso fica faltando alguma coisa. O Natal não seria o mesmo.

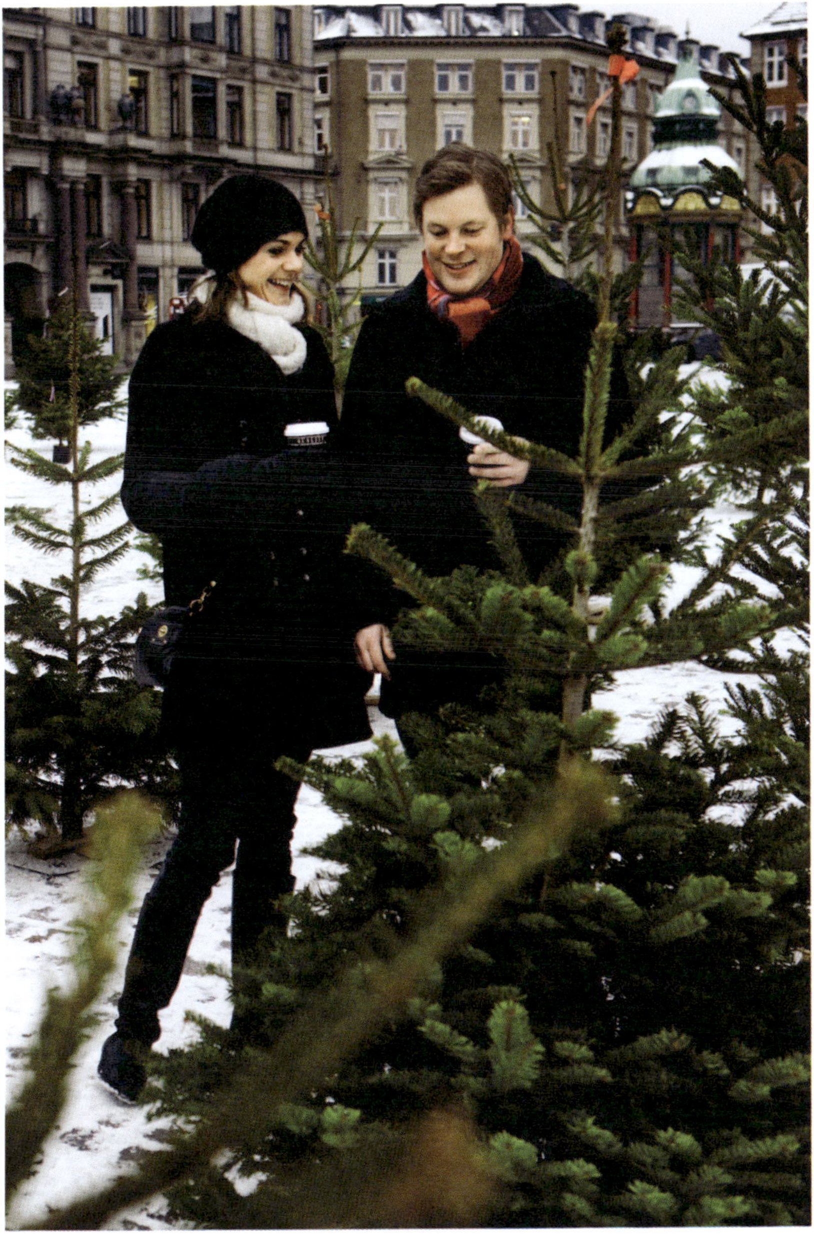

A PRESSA PARA RELAXAR

Está ficando cansado só de ler sobre todos os requisitos de um Natal dinamarquês? Eu entendo. Tudo que descrevi aqui aumenta a pressão para que o Natal tenha muito hygge.

Se as pessoas não sentem o hygge, há algo errado – e o Natal é considerado um fracasso.

Todos os preparativos para um Natal hyggelig costumam ser muito estressantes e, na verdade, nada hyggelige. Pois é, sei que isso pode parecer um pouco contraditório, mas faz sentido. O hygge só é possível se for o oposto de algo que não é hygge. Para o conceito do hygge, é essencial que ele seja uma alternativa a tudo que não é hyggeligt em nossa rotina. Por um breve instante, o hygge nos protege daquilo que não é hyggeligt. Para o hygge ser valioso, o anti-hygge precisa acontecer. A vida pode parecer estressante. Pode parecer instável e injusta. Costuma girar em torno de dinheiro e status social. Mas não é nada disso nos momentos de hygge.

Sabe aqueles meus amigos que comentaram que nossa estadia no chalé só seria mais hyggelig se caísse uma tempestade? Isso é o hygge. Quanto mais ele diferencia o aqui e agora das realidades difíceis do mundo exterior, mais valioso se torna.

Assim, alcançar o *hygge* seria impossível sem toda a agitação e o tumulto que precedem o Natal. A consciência de todo o dinheiro, estresse, trabalho e tempo envolvidos nos preparativos é o que permite que o *hygge* seja uma alternativa tranquilizadora. Saber que seus amigos e parentes se empenharam o mês inteiro para que vocês pudessem se reunir e se distrair dos problemas é o significado do *hygge*.

Porém até o Natal inclui momentos que ameaçam essa sensação. Como se trata de sair da rotina, o foco no dinheiro e na troca de presentes, por exemplo, sempre ameaça contaminar o *hygge* puro e imaculado.

Dar e receber presentes pode deixar alguém pouco à vontade ou enfatizar diferenças de status. Ganhar algo caro pode causar uma sensação de dívida com a pessoa que presenteou, e dar um presente exagerado é visto com maus olhos por enfatizar uma posição superior. Demonstrações de poder não são bem-vindas no *hygge*. Na Dinamarca, o *hygge* do Natal é igualitário. Trata-se de relacionamentos e comunidade – não de indivíduos que tentam chamar atenção. É impossível alcançar o *hygge* se alguém estiver se sentindo excluído ou superior aos outros.

Assim, os melhores Natais são aqueles em que tudo que foi descrito aqui é cumprido. Passado esse momento, ainda temos muitos dias *hyggelige* livres de presentes, cheios de tranquilidade e almoços até a noite do Ano-Novo, quando o *hygge* mais uma vez é sacrificado em prol de outros preparativos.

ÆBLESKIVER
[EBLESKÍUAR]

Uma tradicional guloseima dinamarquesa na época do Natal é o *æbleskiver*. Não se esqueça de servi-lo com *gløgg* (cuja receita está na página 94). Para o preparo, você precisa de uma panela especial – uma panela de *æbleskiver*, que pode ser encontrada e comprada pela internet.

Serve de 4 a 6 porções.

- 3 ovos
- 450 ml de leite
- 250 g de farinha de trigo
- 1 colher (sopa) de açúcar
- 1 pitada de sal
- 1 pitada generosa de bicarbonato de sódio
- 3 colheres de sopa de manteiga derretida
- Açúcar de confeiteiro, para finalizar
- Geleia, para finalizar

---

1. Misture bem as gemas, o leite, a farinha de trigo, o açúcar, o sal e o bicarbonato de sódio. Cubra a massa e deixe descansar por 30 minutos.
2. Bata as claras em neve e acrescente-as aos poucos à massa já crescida.
3. Aqueça a panela de *æbleskiver* e acrescente um pouco de manteiga em cada cavidade. Adicione a massa até preencher três quartos de cada cavidade e cozinhe em fogo médio. Vire os *æbleskiver* de tempos em tempos, para cozinhá-los por completo. O tempo médio é de 5 a 6 minutos. Vire pela primeira vez após uma crosta marrom se formar no fundo, mas enquanto a massa no topo ainda estiver meio crua. Teste usando um palito.
4. Sirva quente, com açúcar de confeiteiro ou sua geleia favorita.

OS CORAÇÕES ENTRELAÇADOS DE NATAL

Na Dinamarca, temos a tradição antiga de fazer corações entrelaçados de papel para enfeitar a árvore de Natal.

A origem da tradição é desconhecida, embora o coração mais antigo de que se tem registro tenha sido feito por Hans Christian Andersen em 1860. A peça está em exibição num museu. No começo do século XX, a prática se popularizou, especialmente porque se acreditava que entrelaçar os corações de papel brilhante ajudava a desenvolver a habilidade motora fina das crianças. Hoje em dia, durante o mês de dezembro, famílias com crianças passam boa parte das tardes de domingo montando corações de Natal.

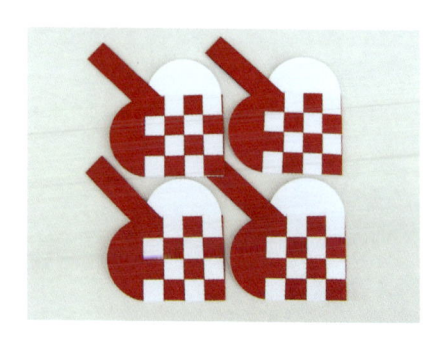

COMO FAZER CORAÇÕES ENTRELAÇADOS

Você vai precisar de: duas folhas de papel lustroso de cores diferentes (neste caso, vermelho e azul), tesoura, lápis e um pouquinho de paciência.

CORAÇÃO **X**   CORAÇÃO **Y**

PRIMEIRO PASSO:

Dobre ao meio os papéis coloridos. (Se o papel for colorido apenas de um lado, deixe o lado colorido para fora.)

Na parte exterior de cada papel dobrado, desenhe um U grande com quatro linhas de corte (um será o coração X e o outro, o coração Y). A reta do U deve ficar na dobra do papel.

NÃO CORTE A DOBRA

SEGUNDO PASSO:
Siga as linhas para cortar os papéis. Você terá um pedaço de cada cor. Cada um terá duas camadas de papel e cinco tiras.

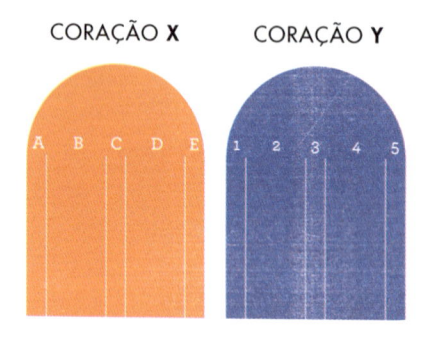

CORAÇÃO **X**   CORAÇÃO **Y**

A B C D E   1 2 3 4 5

TERCEIRO PASSO:
Só existem duas possibilidades ao entrelaçar as tiras: uma tira do coração X passa pelo meio de uma tira do coração Y, ou vice-versa. Tiras adjacentes se alternam; então, se uma tira passa por alguma, a tira adjacente fará o movimento oposto.

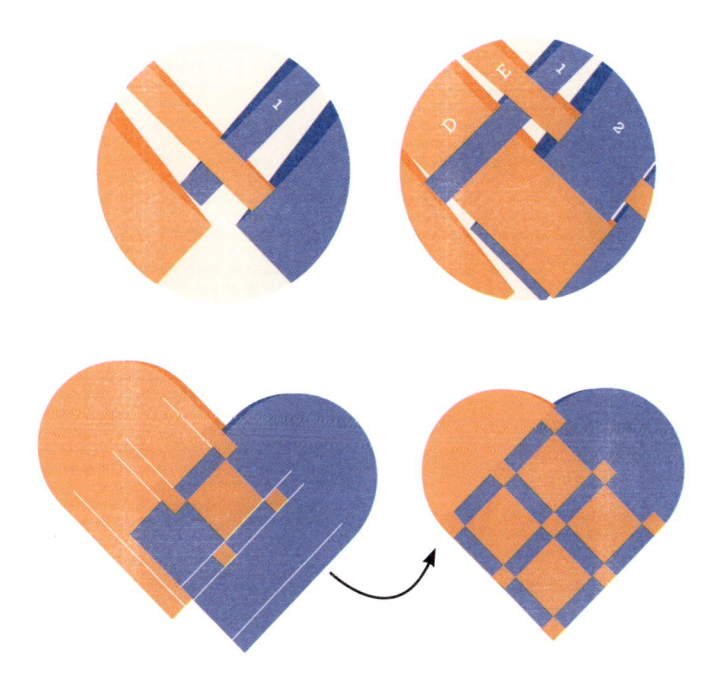

Para criar o coração entrelaçado, a tira 1 do papel azul passa pelo meio da tira E do papel vermelho; a tira D passa pela tira 1; a tira 1 passa pela tira C; a tira B passa pela tira 1; e a tira 1 passa pela tira A.

Repita o processo começando pela tira 2, mas faça o contrário, passando a tira E pela tira 2.

A tira 3 deve ser entrelaçada como a tira 1; a tira 4, como a tira 2; e a tira 5, como as tiras 3 e 1.

Quando a tira 5 for trançada com a tira A, o coração estará pronto. Agora você é um dinamarquês honorário!

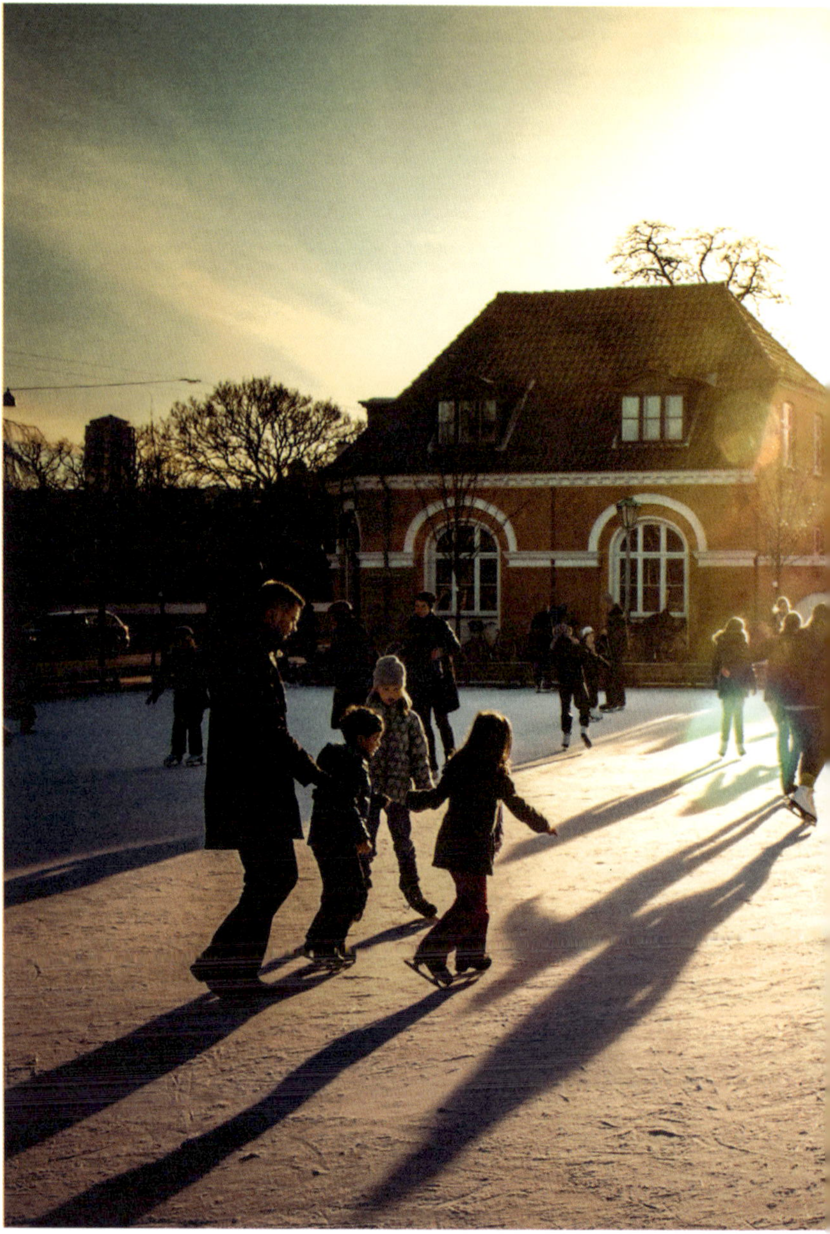

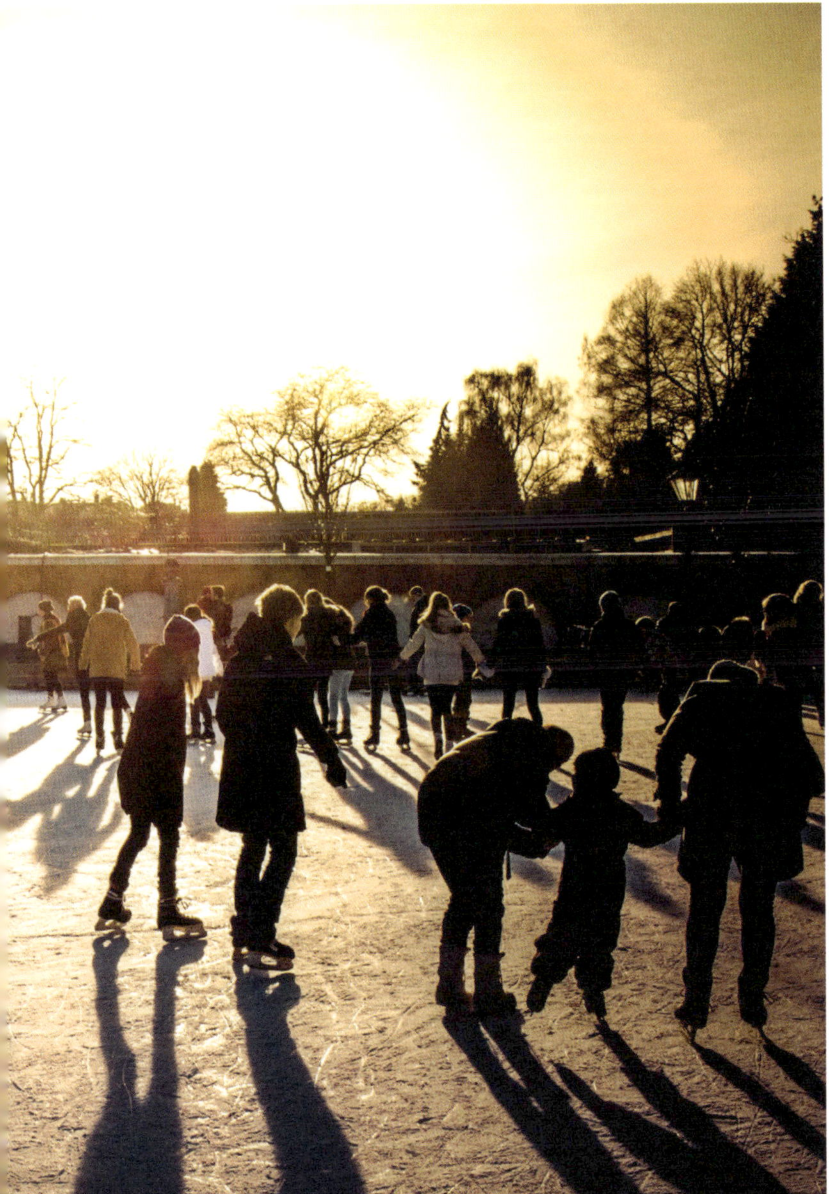

CAPÍTULO 12

HYGGE DE VERÃO

A VIDA É FÁCIL

Apesar de não propiciar o uso de velas e lareiras, o verão também pode ser hyggelig. Verão é cheiro de grama recém-cortada, pele bronzeada, protetor solar e água do mar.

É ler à sombra de uma árvore, aproveitar as noites agradáveis e fazer churrasco com os amigos. O verão não é o momento de diminuir o hygge – seu hygge apenas é diferente do que acontece no outono e no inverno. É aproveitar o sol, o calor e a natureza, mas também os elementos essenciais de união e boa comida. Aqui vão cinco sugestões para manter o hygge vivo durante essa estação.

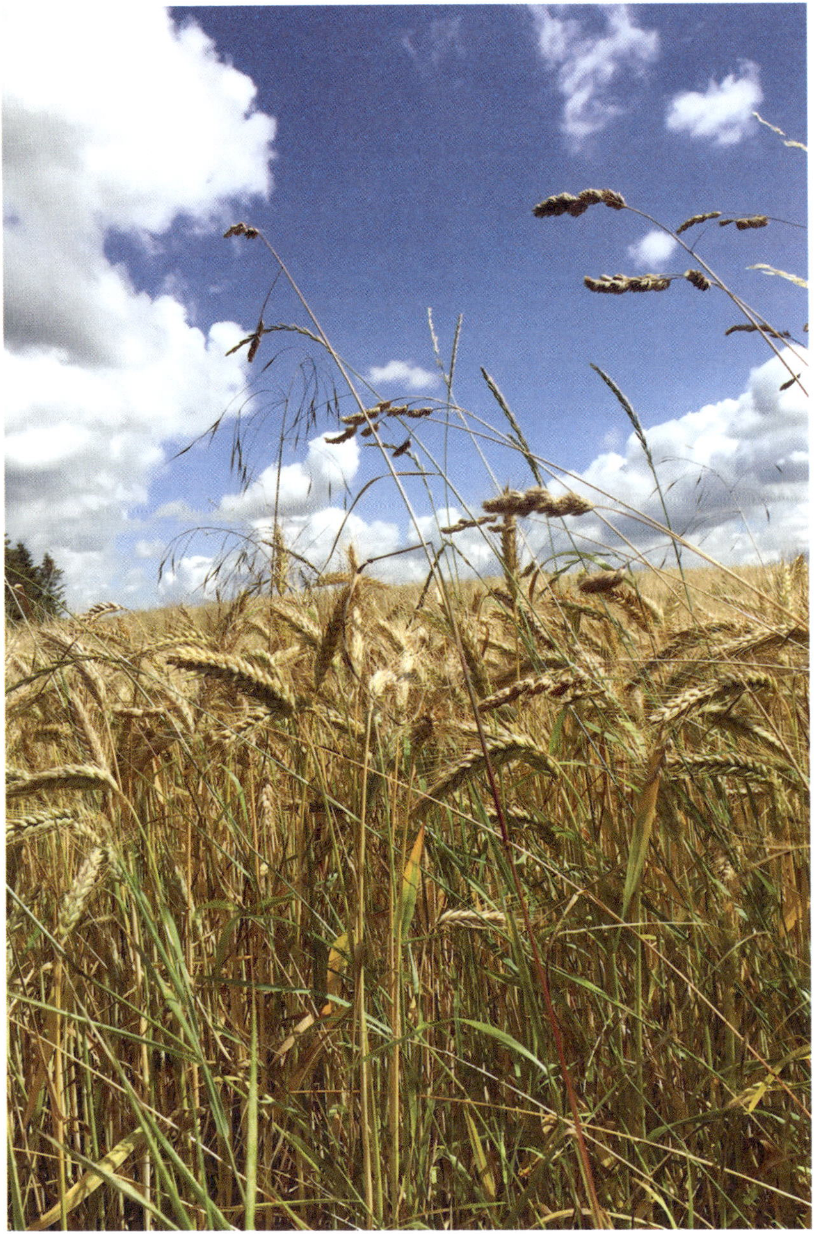

1. NADA COMO UMA BOA COLHEITA

Poucas coisas são mais hyggelige do que passar o dia num pomar colhendo frutas. Uma vez por ano, eu e meus amigos vamos para Fejø, uma pequena ilha no sul da Dinamarca conhecida por suas maçãs. Há fileiras e fileiras de macieiras e ameixeiras. Se chegarmos à ilha no fim do verão, as ameixas estarão maduras e as maçãs, apetitosas.

Passar um dia no pomar pode garantir dias extras de hygge se você fizer geleias ou conservar as frutas colhidas. Neste ano pretendemos fazer sidra. Talvez seja o momento ideal para aquela festa da despensa que mencionamos.

Há muitas fazendas no estilo "colha e pague" espalhadas pelo interior do Reino Unido, dos Estados Unidos, do Canadá, da Austrália e da Nova Zelândia. Procure uma no seu país também.

2. FAÇA UM CHURRASCO PARA PARENTES E AMIGOS

Nada cria hygge tão rápido quanto acender uma churrasqueira. Esse tipo de hygge é praticado em boa parte do mundo. Convide seus amigos e parentes para cozinharem juntos. Acenda a churrasqueira e, enquanto todos esperam a brasa alcançar a temperatura certa, aproveitem para se divertir. Na Dinamarca gostamos de brincar de Kubb, que é basicamente acertar toras de madeira com outros pedaços de madeira.

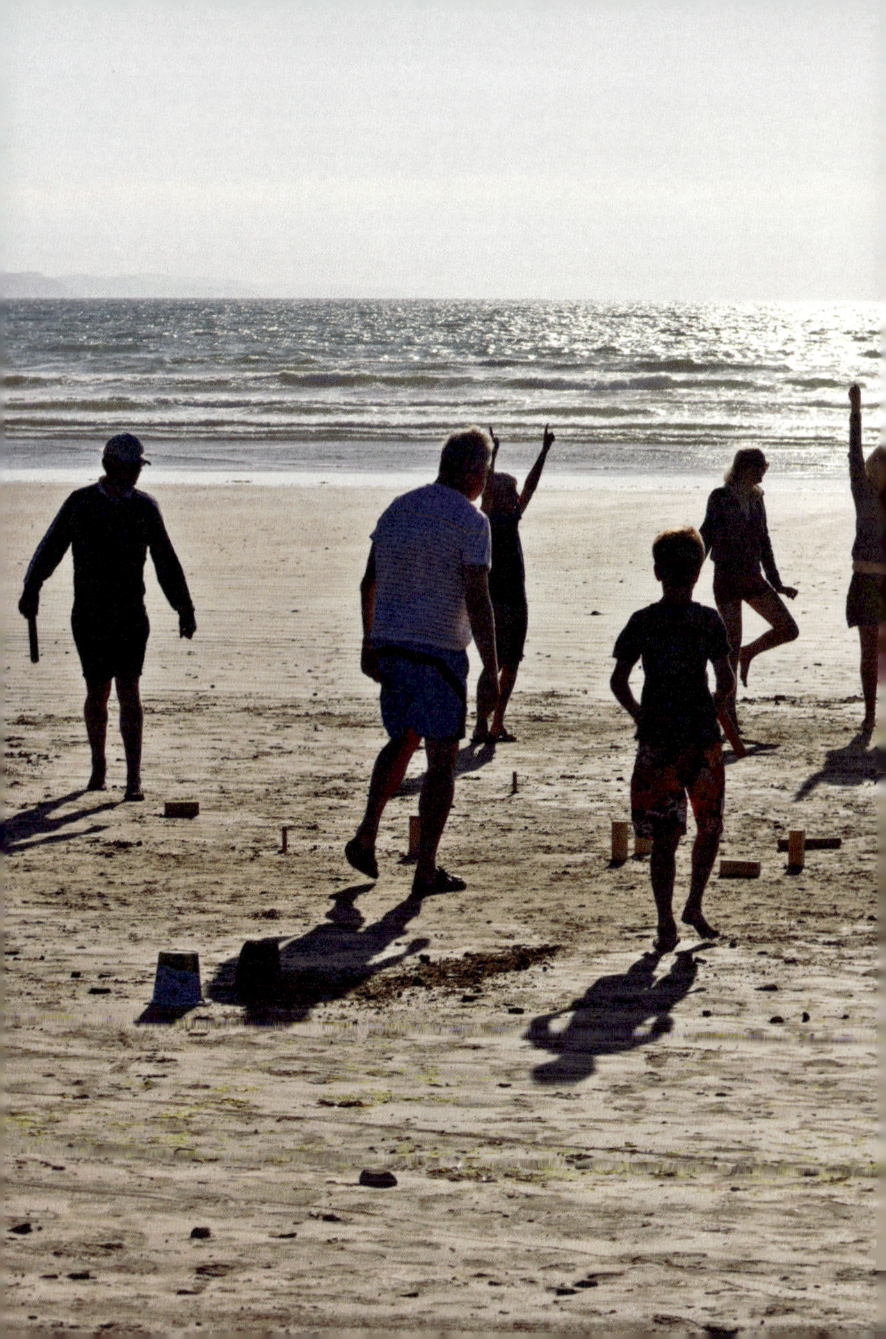

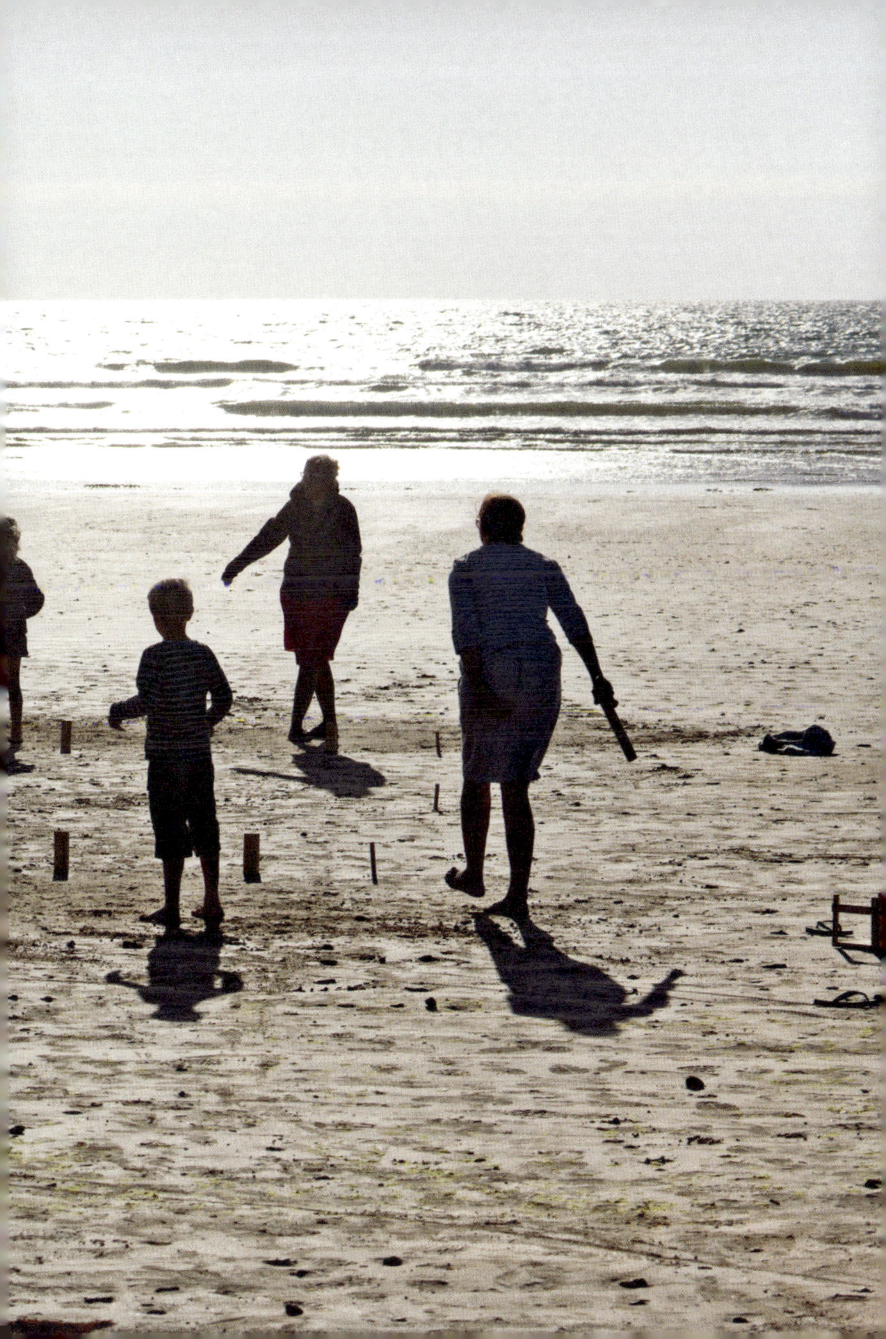

3. CRIE OU INCREMENTE UMA HORTA COMUNITÁRIA

Hoje em dia, jardins comunitários parecem estar surgindo por todo lado, e há um bom motivo para isso. Eles são uma ótima forma de conseguir o clima hyggelig de um vilarejo numa cidade grande. Cuidar dos seus tomates enquanto bate papo e bebe café com os colegas de horta é tanto hyggelig quanto meditativo. Além disso, é algo que une a vizinhança e incentiva o desenvolvimento do espírito comunitário. Só há vantagens.

A criação de hortas comunitárias foi uma das propostas recomendadas pelo Instituto de Pesquisa da Felicidade quando estávamos trabalhando numa cidade nos arredores de Copenhague, tentando bolar ideias para melhorar o tecido social e reduzir o isolamento e a solidão dos habitantes. Mas foi uma ideia tão boa que resolvemos criar nossa própria horta. Então pusemos mãos à obra. Do outro lado da rua do nosso escritório há uma igreja com um terreno bem grande, com espaço para vinte canteiros elevados. Compramos sete toneladas de terra e passamos uma tarde de domingo construindo o jardim. Para complementar o hygge, é claro que encerramos o dia com um churrasco.

4. FAÇA PIQUENIQUES NA PRAIA

O verão é uma época maravilhosa para ir a feiras de rua e encher a cesta com frutas da estação. Se você acrescentar pão e queijo, não precisará de mais nada. Convide todos os seus amigos, ou apenas aquela pessoa especial, e encontre um lugar à beira-mar. Esta é a receita para uma das atividades mais hyggelige que podemos fazer durante o verão. Um dia inteiro passa num piscar de olhos enquanto todos conversam, leem e apreciam a liberdade de não precisar fazer absolutamente nada.

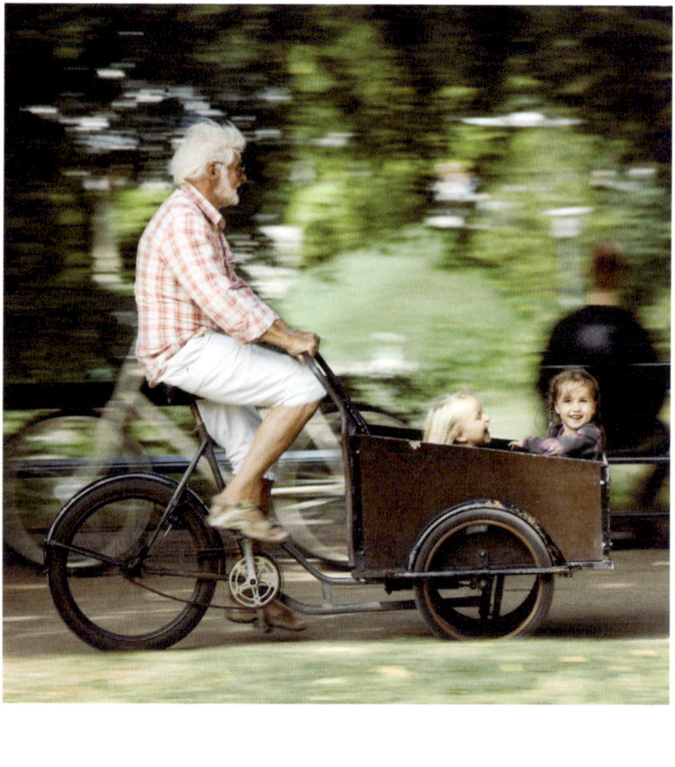

5. PASSEIE DE BICICLETA

Existe forma melhor de circular pela cidade ou pelo bairro? É claro que, sendo de Copenhague, talvez eu seja um pouco tendencioso em relação a isso – você entenderá por que na próxima página. Levar seus filhos, a pessoa amada, seus pais, seu melhor amigo, seu cachorro ou alguém que esteja visitando a cidade para passear de bicicleta é uma fonte incrível de hygge.

Leve almofadas, uma manta, guloseimas, música, uma cesta de piquenique – o que seu coração mandar. Esse é a maneira perfeita de passar uma tarde de verão, mas, com um cobertor quentinho e um bom suéter, também pode ser uma atividade para o ano todo. Certo inverno convidei uma bela moça sueca para passear de bicicleta e ver as luzes de Natal de Copenhague numa tentativa de conquistá-la. Foi um fracasso. "Não era o momento certo" (que acredito que pode ser traduzido como "Não estou a fim de você" em todos os idiomas), mas sei que hygge não faltou no nosso encontro.

BICICLETAS E FELICIDADE

Além do hygge, de Hans Christian Andersen, do Lego e do design, a Dinamarca é conhecida pelo seu amor por bicicletas.

Obviamente, é fácil ser uma nação de amantes do ciclismo quando o ponto mais elevado do país tem menos de 200 metros de altitude e quando as cidades investem pesado na infraestrutura para ciclistas. (Taxar carros em 150% a 180% provavelmente também ajuda.)

De todo modo, os dinamarqueses amam suas bicicletas. Em Copenhague, 45% das pessoas que moram, estudam ou trabalham na cidade circulam pedalando. Cerca de um terço das pessoas que trabalham na cidade mas moram fora de seus limites escolhe se deslocar de bicicleta. Acho que a maioria de nós acredita que pedalar é um jeito fácil de acrescentar um exercício físico à nossa rotina diária, além de ser bom para o meio ambiente (e para a carteira). No entanto, não é por isso que os habitantes de Copenhague andam de bicicleta, e sim porque é fácil e conveniente. Simplesmente é a forma mais fácil de ir do ponto A para o ponto B. E ainda existe uma vantagem adicional que talvez seja pouco comentada: andar de bicicleta torna as pessoas mais felizes.

Um estudo abrangente conduzido em 2014 pela Faculdade de Medicina de Norwich, da Universidade de East Anglia, e pelo Centro de Economia da Saúde da Universidade de York, com base em quase 18 mil adultos que se deslocavam habitualmente pela cidade ao longo de dezoito anos, descobriu que pessoas que vão de bicicleta para o trabalho são mais felizes do que aquelas que dirigem ou usam transporte público.

    Talvez você argumente que não podemos ter certeza de que são as bicicletas que geram felicidade. Poderia ser o contrário: quanto mais felizes as pessoas são, maior a propensão delas a se deslocar de bicicleta. É verdade, mas é aqui que as coisas ficam interessantes. Quando analisaram os resultados, os pesquisadores do estudo descobriram que os participantes que abandonaram o carro ou o ônibus ao longo dos anos e passaram a se deslocar de bicicleta ou a andar a pé se tornaram mais felizes depois disso. E, para bombardear você com mais argumentos convincentes a favor da bicicleta, outro estudo, este da Universidade McGill de Montreal, também observou que as pessoas que iam de bicicleta para o trabalho se sentiam mais satisfeitas com o trajeto, apesar de serem mais demorados em certos casos.

E, se felicidade não for motivação suficiente, preciso contar que, de acordo com um estudo conduzido na Holanda (outro país que adora bicicleta) pela Universidade de Utrecht, trocar o carro pela bicicleta no transporte diário para o trabalho acrescenta 3 a 14 meses à sua expectativa de vida. E um estudo dinamarquês concluiu – provavelmente para a surpresa de ninguém – que crianças que pedalam para a escola têm uma forma física melhor do que aquelas que são levadas de carro.

"Tudo bem", talvez você diga. "Então andar de bicicleta vai me deixar mais saudável e feliz. Mas de que adianta saúde e felicidade? Elas não compram dinheiro..." Bem, talvez você não faça parte do público-alvo do meu próximo argumento, mas aqui vai: quando você anda de bicicleta, todos nós nos beneficiamos. Isso faz bem para a comunidade.

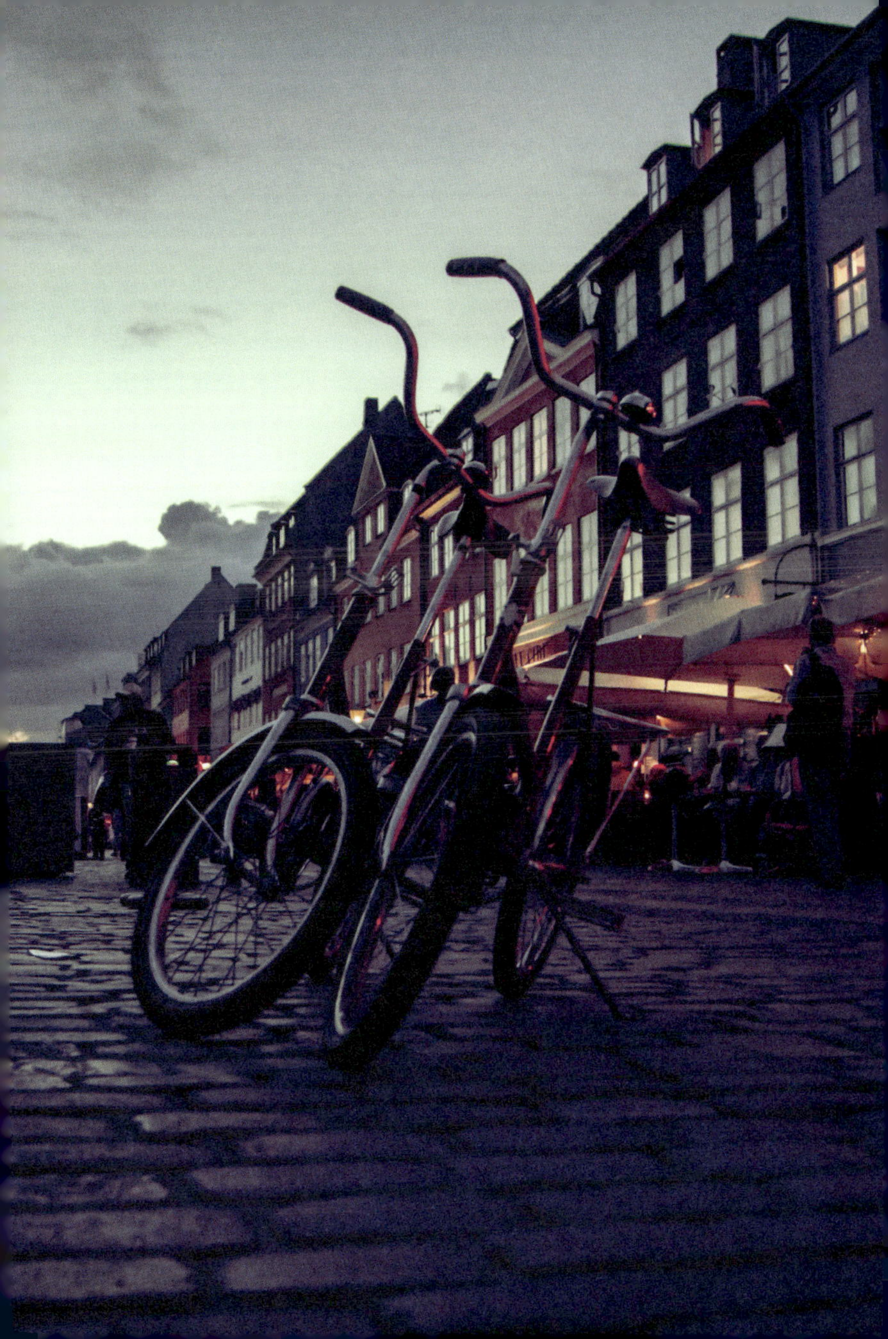

Andar de bicicleta não apenas é benéfico para você, já que melhora seu bem-estar e sua saúde, como também é um indicador do senso de comunidade da vizinhança e dos moradores locais. Um estudo sueco de 2012 com mais de 21 mil participantes revelou que pessoas que se deslocavam de carro costumavam frequentar menos eventos sociais e reuniões de família. Além disso, os motoristas confiavam menos em outras pessoas. Os participantes que preferiam caminhar ou ir de bicicleta até seus destinos participaram de mais eventos sociais e confiavam mais em outras pessoas.

Isso não significa que trocar seu carro por uma bicicleta vai fazer você confiar mais nos outros instantaneamente. Os pesquisadores por trás do estudo apontam o aumento na distância de deslocamento como um fator importante: devido a um mercado de trabalho mais flexível e acessível, as pessoas encontram empregos mais distantes de casa. Por sua vez, isso significa que elas passam a ter redes sociais geograficamente mais abrangentes, o que reduz a sensação de pertencimento e de engajamento com a vizinhança. Em outras palavras, se uma cidade for projetada de modo a tornar necessário um longo trajeto até o trabalho, a saúde social local será prejudicada. Se muitas pessoas se deslocam de bicicleta, isso provavelmente indica que você vive numa vizinhança saudável. Esse é um fator que deve ser levado a sério no planejamento urbano se quisermos garantir a união entre vizinhos e a confiança entre habitantes locais.

CAPÍTULO 13

AS CINCO DIMENSÕES DO HYGGE

Apesar de o hygge ser um conceito intangível e abstrato, acredito que possamos usar todos os nossos sentidos para detectá-lo. O hygge tem gosto, tem som, tem aroma e tem textura – e espero que você comece a enxergá-lo em todos os lugares.

O GOSTO DO HYGGE

O hygge geralmente envolve comer alguma coisa, então o sabor é um elemento importante. E essa "alguma coisa" não pode ser excessivamente fria, alternativa ou desafiadora.

O gosto do hygge é quase sempre familiar, doce e reconfortante. Se você quiser tornar uma xícara de chá mais hyggelig, acrescente mel. Se quiser tornar um bolo mais hyggelig, acrescente uma calda. E, se quiser tornar seu ensopado mais hyggelig, acrescente vinho.

O SOM DO HYGGE

As pequenas faíscas e os estalos dinâmicos da madeira sendo queimada devem ser os sons mais hyggelige que existem. Mas, caso você more num apartamento e não possa fazer uma fogueira sem botar fogo na casa, não se preocupe.

Muitos sons podem ser hyggelige. Na verdade, o hygge está muito associado à ausência de sons, que nos permite escutar até os barulhos mais baixos, como gotas de chuva no telhado, o vento soprando lá fora, as árvores balançando ou o ranger das tábuas de madeira do piso sob nossos pés. Os sons de uma pessoa desenhando, cozinhando ou tricotando podem ser hyggelige também. Qualquer som de um ambiente seguro será a trilha sonora do hygge. Por exemplo, o barulho de um trovão pode ser muito hyggelig se você estiver dentro de casa e se sentir protegido; se estiver ao ar livre, nem tanto.

ISSO TEM CHEIRO DE HYGGE

Você já sentiu algum cheiro que o fez voltar para um tempo e um lugar em que se sentia seguro? Ou um aroma que, mais do que qualquer memória, tenha disparado um flashback da sua infância?

Ou quem sabe um cheiro que você relacione a uma forte sensação de segurança e conforto, como o aroma de uma padaria, das macieiras do quintal da sua infância, ou talvez o cheiro familiar da casa dos seus pais?

O fator que torna um aroma hyggelig varia muito de pessoa para pessoa, porque cheiros remetem a situações vividas no passado. Para algumas pessoas, o cheiro de fumaça de cigarro pela manhã é a coisa mais hyggelig do mundo; para outras, pode causar enjoo e dor de cabeça. Um elemento comum a todos os cheiros do hygge é que eles nos lembram de estarmos seguros e bem-cuidados. Usamos o olfato para determinar se algo pode ser ingerido, mas também para intuir se um lugar é seguro ou se devemos ficar alertas. O cheiro do hygge é aquele que nos diz para baixar completamente a guarda. O cheiro de comida no fogo, do cobertor que usamos em casa ou de determinado lugar em que nos sentimos seguros pode ser muito hyggeligt, porque nos leva ao estado de espírito que vivenciamos ao nos sentirmos sãos e salvos.

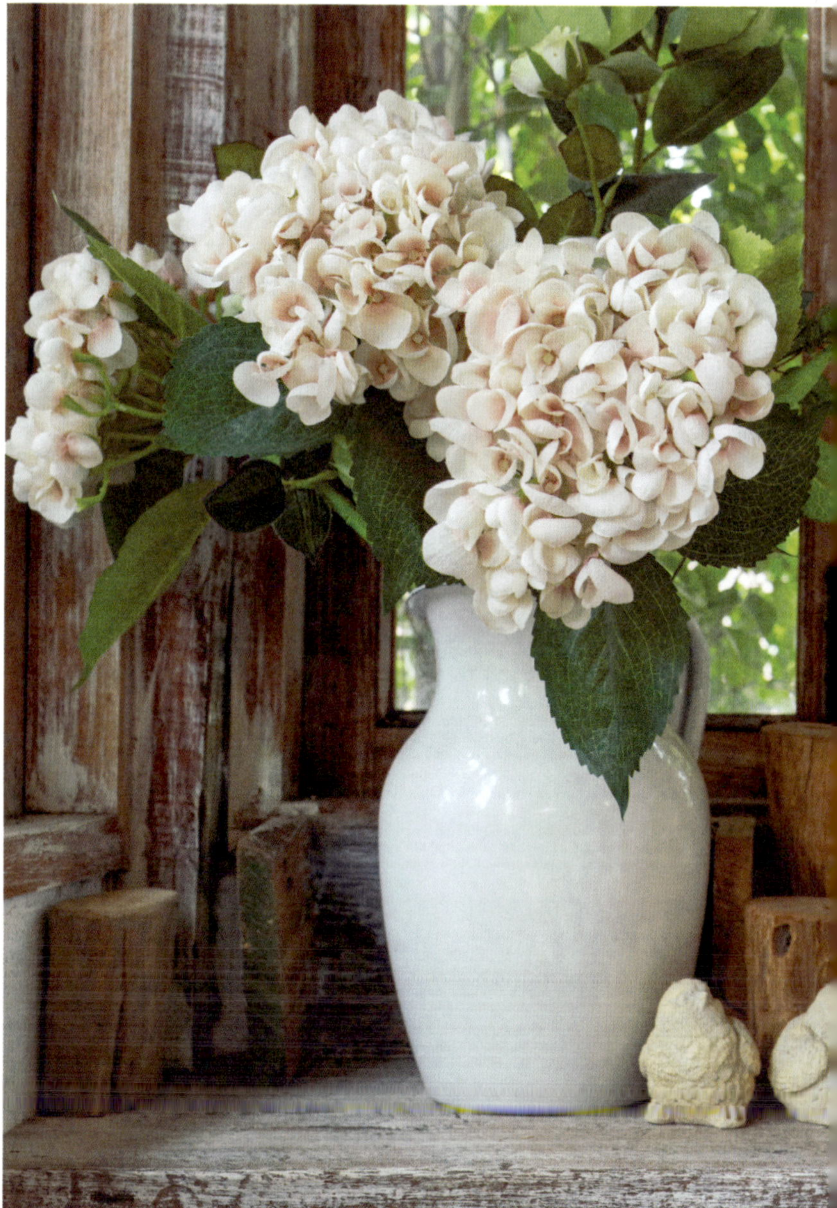

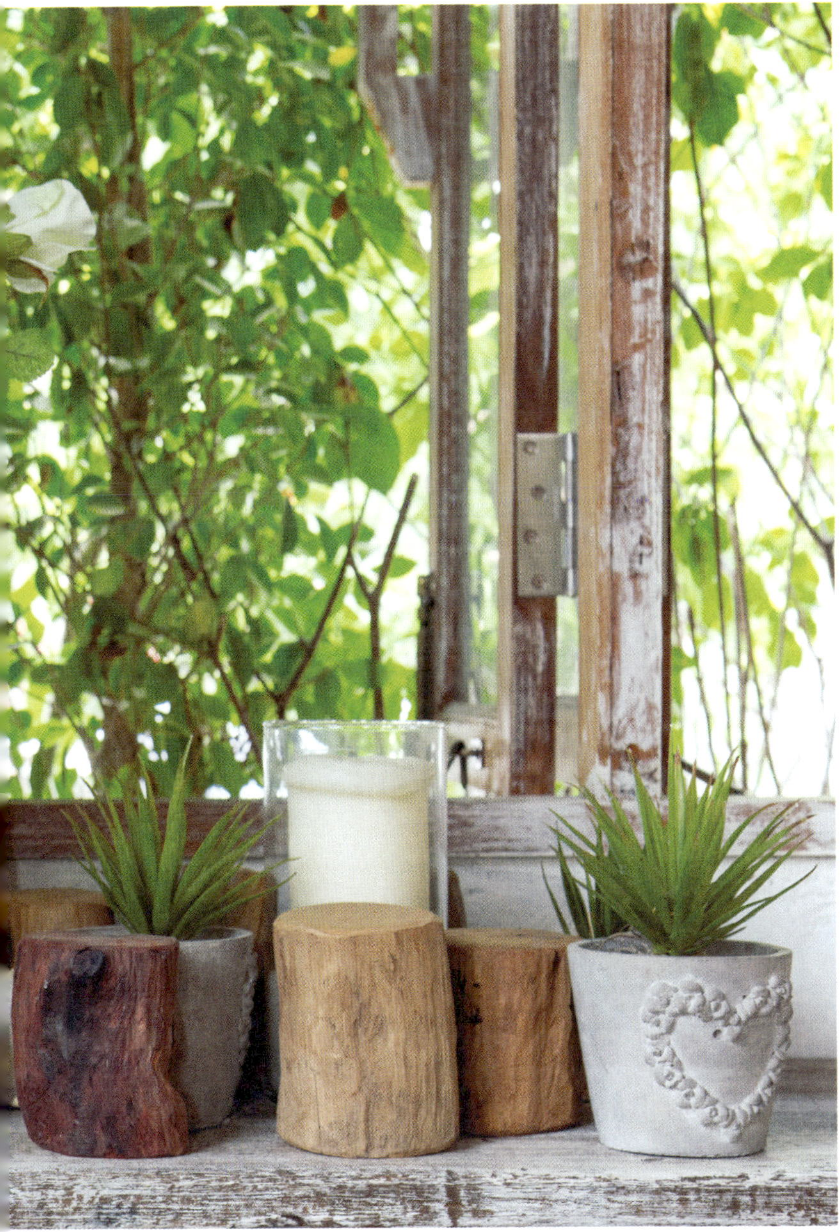

O TOQUE DO HYGGE

Como mencionei, passar os dedos numa superfície de madeira, numa xícara de cerâmica quente ou no pelo macio de um animal gera hygge.

Coisas antigas, artesanais, que levaram muito tempo para ficar prontas, sempre são mais hyggelige que coisas novas e industrializadas. E coisas pequenas sempre são mais hyggelige que coisas grandes. Se o tema dos Estados Unidos é "Quanto maior, melhor", o da Dinamarca é "Quanto menor, mais hyggelig".

Em Copenhague, quase todos os prédios têm apenas três ou quatro andares. Casas novas construídas de concreto, vidro e aço não têm chance contra o fator hygge dessas construções antigas. Tudo que é feito de maneira artesanal – de madeira, cerâmica, lã, couro e assim por diante – é hyggelig. Metais e vidros brilhantes não são hyggelige – só se forem antigos o suficiente. A superfície rústica, orgânica, de algo imperfeito e de algo que foi ou será afetado pelo tempo é muito mais interessante ao toque do hygge. Além disso, a sensação de estar envolvido por algo quentinho num lugar frio é muito diferente de apenas estar aquecido. Traz a sensação de estar confortável num ambiente hostil.

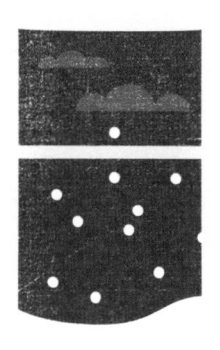

ENXERGANDO O HYGGE

---

*Para o hygge, a iluminação é muito importante,
como já discutimos. Luz excessiva não é hyggeligt.
Mas, para o hygge, também é muito importante
fazer as coisas com calma.*

Trata-se de observar a movimentação muito lenta das coisas; por exemplo, a neve caindo vagarosamente – *aqilokoq*, como os inuítes diriam – ou as chamas preguiçosas de uma fogueira. Em resumo, movimentos orgânicos, lentos, e cores naturais e escuras são hyggelige. A visão de um hospital bem-iluminado e esterilizado, ou de veículos correndo por uma estrada, não. O hygge é comedido, rústico e demorado.

O SEXTO SENTIDO DO HYGGE

O hygge gira em torno da sensação de segurança. Assim, ele indica que você confia nas pessoas ao seu redor e no lugar em que está.

E a sensação de hygge é um indicador da sua sensação de prazer quando você segue sua intuição, expande sua zona de conforto para incluir novas pessoas na sua vida e se sente completamente confortável perto dos outros.

Então o hygge pode ser degustado, escutado, inalado, tocado e visto. Porém, e mais importante, o hygge é sentido. No começo do livro citei o Ursinho Pooh e ainda acredito em seu sábio conselho: amor não se soletra; amor se sente. E isso nos leva ao último assunto deste livro: a felicidade.

CAPÍTULO 14

HYGGE E FELICIDADE

Hoje, líderes políticos do mundo inteiro se mostram interessados em descobrir por que algumas sociedades são mais felizes do que outras. Ao mesmo tempo, os países estão tomando medidas para avaliar seu sucesso enquanto sociedade – não apenas segundo indicadores econômicos, mas também em relação às condições locais, avaliando não só os padrões básicos, mas a qualidade de vida. Essa é uma das consequências da mudança de paradigma nos últimos anos, que deixou de lado o produto interno bruto (PIB) como o principal indicador sobre o progresso. No entanto, não se trata de uma ideia nova. Robert Kennedy argumentou há mais de cinquenta anos:

> *O PIB não leva em conta a saúde de nossas crianças, a qualidade de sua educação nem a alegria de suas brincadeiras. Não inclui a beleza de nossa poesia ou a força de nosso casamento; a inteligência de nossos debates públicos ou a integridade de nossos servidores... Em resumo, ele mede tudo, exceto as coisas que fazem a vida valer a pena.*

Ultimamente isso tem aumentado o interesse e a procura por pesquisas sobre felicidade – e a Dinamarca aparece no topo das listas diversas vezes. "Cerca de uma vez por ano, um novo estudo confirma o status da Dinamarca como uma superpotência da felicidade", publicou o *The New York Times* em 2009. Desde então, essa declaração se tornou mais e mais verdadeira.

O Relatório Mundial da Felicidade, divulgado pela ONU, conta com quatro edições no momento da publicação original deste livro. A Dinamarca ficou em primeiro lugar em três delas, ocupando o terceiro lugar na única ocasião em que perdeu a liderança. E o Relatório Mundial da Felicidade é apenas uma de muitas avaliações que colocam a Dinamarca e Copenhague no topo das listas sobre felicidade e qualidade de vida.

A mesma tendência é observada quando a Organização para a Cooperação e o Desenvolvimento Econômico (OCDE) analisa a satisfação pessoal e quando o European Social Survey analisa a felicidade. A revista *Monocle* conferiu várias vezes a Copenhague o título de melhor cidade para morar. Hoje em dia, listas de bem-estar só viram notícia na Dinamarca quando o país não está no topo delas. Além disso, a maioria dos dinamarqueses não consegue controlar o sorriso ao ouvir que a Dinamarca é a nação mais feliz do mundo. Eles sabem muito bem que o país não está no topo da lista quando se trata do clima e que, sentados no trânsito no meio de uma manhã chuvosa de inverno, jamais seriam confundidos com as pessoas mais felizes do mundo.

Então por que todo mundo na Dinamarca é tão feliz?

Posição da Dinamarca nas listas de felicidade

1º lugar:
Relatório Mundial da Felicidade de 2016

3º lugar:
Relatório Mundial da Felicidade de 2015

1º lugar:
Índice de Vida Melhor da OCDE – Satisfação Pessoal de 2015

1º lugar:
European Social Survey de 2014

3º lugar:
Índice de Vida Melhor da OCDE – Satisfação Pessoal de 2014

1º lugar:
Relatório Mundial da Felicidade de 2013

5º lugar:
Índice de Vida Melhor da OCDE – Satisfação Pessoal de 2013

1º lugar:
Relatório Mundial da Felicidade de 2012

1º lugar:
European Social Survey de 2012

OS DINAMARQUESES FELIZES

Como já sabemos, pesquisas internacionais costumam listar a Dinamarca como o país mais feliz do mundo, e é claro que isso aumentou o interesse de pesquisadores da felicidade. Quais são os motivos por trás dos níveis elevados de felicidade na Dinamarca?

No Instituto de Pesquisa da Felicidade, tentamos responder a essa pergunta no relatório "Os dinamarqueses felizes: explorando os motivos para o nível elevado de felicidade na Dinamarca". Em resumo, há muitas razões. Vários fatores determinam por que alguns povos e países são mais felizes do que outros: genética, maneiras de se relacionar, saúde, renda, emprego, sensação de propósito e liberdade.

Porém um dos motivos principais para a Dinamarca ir tão bem nas pesquisas globais de felicidade é a assistência social do governo, que reduz incertezas, preocupações e estresse na população. Você pode dizer que a Dinamarca é o país mais feliz do mundo ou que a Dinamarca é o país menos infeliz do mundo. O Estado de bem-estar social (que não é perfeito, mas é muito bom) tem um papel muito importante em reduzir a infelicidade extrema. Um sistema de saúde universal e gratuito, educação universitária gratuita e auxílios-desemprego relativamente generosos ajudam muito a diminuir a tristeza. Isso é especialmente importante para as pessoas que vivem em condições mais precárias, um setor da sociedade que é mais feliz na Dinamarca do que em outros países ricos.

Além disso, há um alto nível de confiança (observe todos os carrinhos de bebê estacionados diante de cafeterias enquanto os pais estão lá dentro, tomando um café), um alto nível de riqueza e liberdade (os dinamarqueses dizem sentir muito controle sobre a própria vida), além de uma boa administração pública e uma sociedade civil funcional.

Esses fatores, no entanto, não diferenciam a Dinamarca de outros países nórdicos. A Noruega, a Suécia e a Islândia também têm níveis relativamente elevados de assistência pública. É por isso que todos os países nórdicos costumam ser encontrados entre os dez primeiros lugares nas listas de felicidade. Mas talvez seja nesse ponto que o hygge diferencia a Dinamarca dos seus vizinhos. Acredito que o hygge e a felicidade possam estar conectados, já que o hygge pode ser a busca pela felicidade diária, e alguns dos seus elementos principais são motivadores de felicidade. Vamos dar uma olhadinha neles.

O HYGGE COMO APOIO SOCIAL

Levando em consideração as informações anteriores, talvez agora possamos explicar três quartos dos motivos pelos quais alguns países são mais felizes do que outros: fatores como generosidade, liberdade, PIB, boa administração pública e uma expectativa de vida saudável. Porém o fator que mais influencia a felicidade é o apoio social.

Isso quer dizer o seguinte: as pessoas têm alguém com quem possam contar em momentos de necessidade? Sim ou não? Talvez essa não seja a melhor nem a mais detalhada forma de avaliar sistemas de apoio social, mas são os dados que coletamos nos vários países analisados pelo Relatório Mundial da Felicidade.

Um dos motivos para o alto nível de felicidade na Dinamarca é um bom equilíbrio entre o trabalho e a vida social, permitindo que as pessoas tenham tempo para conviver com parentes e amigos. De acordo com o Índice de Vida Melhor da OCDE, os dinamarqueses têm mais tempo livre do que todos os outros países-membros, e, de acordo com o European Social Survey, 33% dos dinamarqueses afirmam que se sentem calmos e tranquilos em boa parte do tempo, enquanto as porcentagens são de 23% para a Alemanha, 15% para a França e 14% para o Reino Unido.

Então políticas públicas são importantes, mas o hygge talvez incentive uma forma especial de se reunir com entes queridos. No capítulo sobre união, falamos sobre a conexão entre relacionamentos, hygge e felicidade.

Essa associação não pode ser subestimada. Em 1943, o psicólogo russo-americano Abraham Maslow desenvolveu um modelo chamado pirâmide das necessidades humanas, cuja teoria é de que precisamos suprir nossas necessidades na base e ir subindo. As necessidades mais elementares são fisiológicas: comida, água e sono – além de segurança. Mas então vêm as questões sociais, nossa necessidade de amor e de pertencimento. Sem suprir esses pontos, não conseguimos seguir em frente e alcançar nossas necessidades de autoestima e realização pessoal.

Hoje, quando pesquisadores da felicidade analisam denominadores comuns entre os grupos que consideramos felizes, sempre surge o mesmo padrão: essas pessoas têm relacionamentos sociais importantes e positivos. Estudos também mostram que, quando indivíduos passam por situações de isolamento social, muitas das regiões do cérebro ativadas são as mesmas que ficam ativas quando sentimos dores físicas.

As quatro primeiras edições do Relatório Mundial da Felicidade estão cheias de evidências da associação entre relacionamentos e felicidade. Relacionamentos próximos

Realização pessoal

Autoestima

Amor e sensação de pertencimento

Comida, água, sono e segurança

com parentes, amigos e pessoas que amamos explicam a maior variação de níveis de felicidade. Com a exceção dos países mais pobres, a felicidade varia mais com a qualidade dos nossos relacionamentos do que com nossa riqueza.

De acordo com os relatórios, as relações mais importantes são aquelas com quem amamos – em todas as sociedades –, porém nossos relacionamentos no trabalho, com amigos e com a vizinhança também fazem diferença. Assim, a qualidade das relações afeta nossa felicidade, e vice-versa. Estudos sugerem que níveis elevados de felicidade geram relacionamentos sociais melhores. Talvez isso aconteça porque a felicidade aumenta a sociabilidade e melhora a qualidade das nossas relações. Experimentos também mostram que pessoas de bom humor expressam mais interesse em atividades sociais e que estimulem a socialização. Da mesma forma, de acordo com o Relatório Mundial da Felicidade, uma pesquisa global feita com 123 nações mostrou uma forte associação entre sentimentos positivos e bons relacionamentos sociais, independentemente da região sociocultural.

Em resumo, pesquisas ao longo de décadas demonstram evidências que sustentam a conexão entre nossos relacionamentos e o bem-estar. Pessoas mais felizes têm amizades e relações familiares em maior quantidade e com maior qualidade. Sendo assim, bons relacionamentos causam felicidade e são causados por ela. Os estudos sugerem que, entre todos os fatores que influenciam a felicidade, a sensação de ter uma conexão com as pessoas ao nosso redor está no topo da lista.

É por isso que o hygge pode ser um dos motivos pelos quais os dinamarqueses sempre relatam altos níveis de felicidade. Não apenas há políticas públicas que garantem que eles tenham tempo para manter bons relacionamentos – o idioma e a cultura também os levam a priorizar parentes e amigos, desenvolvendo laços fortes.

SABOREAR E AGRADECER

Como mencionado no capítulo sobre comida, o hygge se trata de oferecer uma experiência prazerosa para si mesmo e para os outros. Tem a ver com saborear o momento e os prazeres simples da boa comida e de boa companhia.

Hygge é dedicar ao chocolate quente com chantili a atenção que ele merece. Numa palavra: prazer. O hygge gira em torno do *agora*, de aproveitar o momento e curti-lo ao máximo.

Mais do que tudo, saborear tem a ver com gratidão. Nós frequentemente lembramos uns aos outros que não devemos desmerecer as coisas. A gratidão vai além de dizer um simples "obrigado" ao receber um presente. Trata-se de manter em mente que você está vivendo agora, permitindo-se aproveitar o momento e apreciar sua vida, concentrando-se em tudo que tem, não naquilo que não tem. É um clichê? Com certeza.

Mesmo assim, estudos baseados em dados mostram que a prática da gratidão afeta a felicidade.

De acordo com Robert A. Emmons, professor de psicologia na Universidade da Califórnia em Davis e um dos maiores especialistas do mundo em gratidão, as pessoas que se sentem gratas são não apenas mais felizes, como também mais prestativas e bondosas, e menos materialistas.

Em um de seus estudos, que envolveu entrevistar mais de mil pessoas, alguns participantes fizeram registros semanais num diário da gratidão, anotando pelo que se sentiam gratos. Os pesquisadores concluíram que a gratidão tem vantagens psicológicas, físicas e sociais. As pessoas que escreveram nos diários relataram mais emoções positivas, como vivacidade e entusiasmo, mais qualidade do sono e menos sintomas de doença, além de se sentirem mais atentas a situações em que elas poderiam oferecer ajuda a alguém.

Pesquisas também mostram que pessoas gratas tendem a se recuperar mais rapidamente de traumas e sofrimentos e têm menos chance de se estressar em situações complicadas. Dá para entender por que é importante incluir a gratidão na nossa rotina.

Infelizmente, como nosso sistema emocional gosta de novidade, nós rapidamente nos adaptamos a coisas e eventos novos, ainda mais quando são positivos. Portanto, precisamos pensar em coisas novas pelas quais agradecer, ou ficaremos empacados nas mesmas linhas de pensamento. Emmons acredita que a gratidão nos faz dar um passo atrás para enxergar a importância daquilo que temos, passando a dar mais valor às coisas, o que nos torna menos propensos a desmerecê-las.

O hygge pode nos ajudar a sermos gratos por nossa rotina, porque ele gira em torno de saborear prazeres simples. Hygge é aproveitar ao máximo o momento, mas também é planejar e preservar instantes de felicidade. Os dinamarqueses planejam ocasiões hyggelige e conversam sobre elas depois.

"Nostalgia faz parte do hygge?", me perguntou um dos designers deste livro. Ele tinha lido alguns dos primeiros rascunhos, e agora estávamos debatendo a identidade visual no Granola Café de Værnedamsvej, em Copenhague. No começo, descartei a ideia dele. Só que, durante o processo de escrita, fui percebendo aos poucos que ele tinha razão. Ao reviver momentos de hygge sentado diante da lareira ou numa varanda nos Alpes franceses, ou caminhando na direção do chalé em que eu passava os verões na infância, eu estava imerso na nostalgia. Ao mesmo tempo, notei que sorria.

De acordo com o estudo "Nostalgia: Content, Triggers, Function" (Nostalgia: conteúdo, gatilhos, função), publicado na edição de novembro de 2006 da *Journal of Personality and Social Psychology*, a nostalgia gera sensações positivas, reforça nossas memórias e a sensação de ser amado e impulsiona a autoestima. Então, apesar de a felicidade e o hygge girarem em torno de apreciarmos o momento presente, as duas coisas também podem ser planejadas e preservadas. O hygge e a felicidade têm um passado e um futuro tanto quanto um presente.

O HYGGE COMO
FELICIDADE DIÁRIA

Eu estudo felicidade. Todos os dias tento responder à mesma pergunta: por que algumas pessoas são mais felizes que outras?

Já me disseram que músicos conseguem olhar para as notas e ouvir a canção em sua mente. O mesmo acontece comigo quando olho para dados sobre a felicidade. Escuto os sons reconfortantes de vidas bem vividas. Escuto a alegria, a sensação de conexão e de propósito.

No entanto, muitas pessoas são céticas sobre a possibilidade de avaliar a felicidade. Um dos argumentos é que existem percepções diferentes sobre o que é felicidade. Tentamos reconhecer isso ao afirmar que "felicidade" é um termo genérico. Nós o dividimos em partes e analisamos componentes diferentes. Então, quando o Instituto de Pesquisa da Felicidade, a ONU, a OCDE e governos diferentes tentam medir níveis de felicidade e quantificar a qualidade de vida, levamos em consideração pelo menos três dimensões da felicidade.

Em primeiro lugar, observamos a satisfação pessoal. Fazemos isso ao perguntar em pesquisas internacionais: Até que ponto você se sente satisfeito com a sua vida?

Numa escala de 0 a 10, quão feliz você está? Pare e analise sua vida. Pense na melhor e na pior vida que você poderia ter, dentro da realidade. Em que ponto entre elas você acha que está agora? É aí que a Dinamarca recebe as maiores pontuações do mundo.

Em segundo lugar, observamos a dimensão afetiva, ou hedônica. Que tipo de emoções as pessoas sentem diariamente? Pedimos que pensem no dia anterior e respondam: Você se sentiu irritado, triste, solitário? Você riu? Você se sentiu feliz? Sentiu-se amado?

A terceira dimensão é a eudemônica. Seu nome vem de *eudaimonia*, do grego antigo, que significa "felicidade". Ela é baseada na percepção de Aristóteles sobre a felicidade – e, para ele, uma boa vida era uma vida com propósito. As pessoas se sentem motivadas?

O que tentamos fazer é acompanhar 10 mil pessoas ou mais – como cientistas, não psicopatas – por, digamos, dez anos. Porque, ao longo da próxima década, alguns de nós serão promovidos, alguns vão perder o emprego, alguns vão se casar. A questão é: até que ponto essas mudanças afetam dimensões diferentes da felicidade?

Quão feliz você é? Quão satisfeito você está com a sua vida? Essas perguntas foram feitas e respondidas milhões de vezes por todo o mundo, então agora podemos buscar padrões nos dados. O que pessoas felizes têm em comum, independentemente de serem da Dinamarca, do Reino Unido, dos Estados Unidos, da China ou da índia? Como, por exemplo, duplicar a renda ou se casar afeta a felicidade? Quais são os denominadores comuns da felicidade?

Fazemos isso há anos no que se refere à saúde, por exemplo, buscando os denominadores comuns em pessoas que vivem até os 100 anos. E é por causa desses estudos que sabemos que álcool, tabaco, exercícios físicos e alimentação afetam a expectativa de vida. Usamos os mesmos métodos para entender o que faz diferença para a felicidade.

Pode ser que você diga: "Bem, a felicidade é muito subjetiva." Sim, é claro que é, e deveria continuar desse jeito. O que me interessa é como você se sente sobre a sua vida. Acho que você sabe melhor do que ninguém se está feliz ou não. Sim, trabalhar com medidas subjetivas é difícil, mas não impossível. Fazemos isso o tempo todo quando se trata de estresse, ansiedade e depressão, que também são fenômenos subjetivos, em certo sentido. No fim das contas, a questão é como nós, enquanto indivíduos, encaramos nossa vida. Ainda não ouvi um único argumento convincente sobre por que a felicidade deveria ser a única coisa no mundo impossível de estudar cientificamente. Por que não deveríamos entender aquilo que talvez seja o mais importante?

Então tentamos compreender o que gera satisfação pessoal, felicidade afetiva e felicidade eudemônica. As dimensões diferentes estão conectadas, é claro. Se você tiver uma rotina cheia de emoções positivas, provavelmente vai relatar níveis elevados de satisfação pessoal. Porém a segunda dimensão é bem mais volátil. Nela temos que contar com o efeito fim de semana. As pessoas relatam sentir emoções mais positivas durante os sábados e domingos do que nos dias úteis. Isso não deveria surpreender quase ninguém, já que temos mais oportunidades de participar de atividades que despertam emoções positivas nos dias de folga. Além disso, as diferentes dimensões de felicidade estão biologicamente conectadas, e muitos dos mecanismos do cérebro envolvidos na experiência hedônica do prazer sensorial também são ativados na experiência mais eudemônica.

Voltando ao hygge e à felicidade, acredito que uma das descobertas mais interessantes nos últimos anos é que vivenciar emoções positivas é mais importante para o nosso bem-estar geral, em termos de satisfação com a vida, do que a ausência de sensações negativas (apesar de os dois fatores serem importantes, de acordo com o Relatório Mundial da Felicidade).

Durante o processo de pesquisar e escrever este livro, entendi que o hygge pode agir diariamente como um motivador da felicidade. Ele nos oferece a linguagem, o objetivo e os métodos para planejar e preservar a felicidade – e para sentir um pouquinho dela todos os dias. Talvez ele seja o mais perto que chegamos da felicidade quando voltamos para casa após um longo dia de trabalho num dia frio e chuvoso de inverno.

E verdade seja dita: essa é a realidade de boa parte da vida. Não apenas nos dias frios, mas todos os dias. Uma vez por ano – ou mais, se tivermos sorte –, podemos visitar uma praia paradisíaca e encontrar tanto hygge quanto felicidade nessa orla distante. Mas o hygge tem a ver com aproveitar ao máximo aquilo que temos em abundância: a rotina. Talvez Benjamin Franklin tenha conseguido explicar melhor: "A felicidade consiste mais nas pequenas conveniências ou prazeres que acontecem todos os dias do que na boa sorte que ocorre apenas ocasionalmente."

Agora vou visitar meu pai e a esposa dele. E, quem sabe, chegar lá com um bolo.

CRÉDITOS DAS FOTOS

p.7 Westend61/Getty Images

p.13 Tulio Edreira/EyeEm/Getty Images

p.17 Lynnette/Shutterstock

p.32 Ann-Christine/Valdemarsro.dk

p.48 Ann-Christine/Valdemarsro.dk

p.54 savageultralight/Shutterstock

p.57 Fotovika/Shutterstock

p.65 Svitlana Sokolova/Shutterstock

p.71 Mikkel Heriba/Copenhagenmediacenter

p.75 La Glace

p.76 Ann-Christine/Valdemarsro.dk

p.81 Radovan Surlak/EyeEm/Getty Images

p.85 Peter Anderson/Getty Images

p.86 AS Food Studio/Shutterstock

p.88 Ann-Christine/Valdemarsro.dk

p.90 Ann-Christine/Valdemarsro.dk

p.92 Ann-Christine/Valdemarsro.dk

p.94 AGfoto/Shutterstock

p.96 Ann-Christine/Valdemarsro.dk

p.98 Klaus Vedfelt/Getty Images

p.103 Renata Gimatova/EyeEm/Getty Images

p.105 Anna Fox/EyeEm/Getty Images

p.106 Anne Vanraes/EyeEm/Getty Images

p.109 Ruth Jenkinson/Getty Images

p.113 Serny Pernebjer/Getty Images

p.117 Kahlerdesign

p.122 Kay Bojesen Denmark

p.123 Ann-Christine/Valdemarsro.dk

p.124 Jodie Johnson/Shutterstock

p.126 Yulia Grigoryeva/Shutterstock

p.129 Meik Wiking

p.130 Hero Images/Getty Images

p.132 Photographee.eu/Shutterstock

p.138 Meik Wiking

p.144 Marc Volk/Getty Images

p.146 Lumina Images/Getty Images

p.148 Meik Wiking

p.155 Morten Jerichau/Copenhagenmediacenter

p.156 Meik Wiking

p.158 Dennis Paaske/EyeEm/Getty Images

p.159 Anna Shepulova/Shutterstock

p.161 Ethan Miller/Staff/Getty Images

p.163 Meik Wiking

p.164 Klaus Bentzen/Copenhagenmediacenter

p.166 Ann-Christine/Valdemarsro.dk

p.168 galyaivanova/Getty Images

p.169 Meik Wiking

p.170 Hinterhaus Productions/Getty Images

p.172 Ann-Christine/Valdemarsro.dk

p.177 Paul Viant/Getty Images

p.181 Meik Wiking

p.183 Ann-Christine/Valdemarsro.dk

p.184 Lolostock/Shutterstock

p.187 Meik Wiking

p.189 SarahGinn/Nomad Cinema

p.191 Meik Wiking

p.192 Thomas Høyrup Christensen/Copenghagenmediacenter

p.195 Marcel ter Bekke/Getty Images

p.200 www.caecacph.com/Jacob Schjørring & Simon Lau/Copenhagenmediacenter

p.201 Thomas Høyrup Christensen/Copenghagenmediacenter

p.202 La Glace

p.203 Anders Bøgild/Copenhagenmediacenter

p.204 Tivoli/Copenhagenmediacenter

p.206 Ty Stange/Copenhagenmediacenter

p.207 Ty Stange/Copenhagenmediacenter

p.208 Ty Stange/Copenhagenmediacenter

p.210 www.caecacph.com/Jacob Schjørring & Simon Lau/Copenhagenmediacenter

p.213 Martin Heiberg/Copenhagenmediacenter

p.217 Cees van Roeden/Copenhagenmediacenter

p.218 Ty Stange/Copenhagenmediacenter

p.221 AnjelikaGr/Shutterstock

p.222 Chris Tonnesen/Copenhagenmediacenter

p.227 Ann-Christine/Valdemarsro.dk

p.229 Ty Stange/Copenhagenmediacenter

p.232 Brent Hofacker/Shutterstock

p.234 Belinda Gehri/Great Dane Paper Shop

p.238 Jonas Smith/Copenhagenmediacenter

p.243 Ann-Christine/Valdemarsro.dk

p.245 Meik Wiking

p.246 Westend61/Getty Images

p.249 Meik Wiking

p.250 Ty Stange/Copenhagenmediacenter

p.253 Ty Stange/Copenhagenmediacenter

p.255 Adrian Lazar/Copenhagenmediacenter

p.258 Westend61/Getty Images

p.262 WichitS/Shutterstock

p.278 A. and I. Kruk/Shutterstock

Eu gostaria de agradecer aos pesquisadores do Instituto de Pesquisa da Felicidade – Johan, Felicia, Michael e Kjartan – por sua ajuda com este livro. Sem eles, o trabalho seria bem menos hyggelig.

La Glace, junho de 2016